Sous la direction de

Sylvie KANDÉ

DISCOURS SUR LE MÉTISSAGE, IDENTITÉS MÉTISSES

En quête d'Ariel

L'Harmattan
5-7, rue de l'École Polytechnique
75005 Paris - FRANCE

L'Harmattan Inc.
55, rue Saint-Jacques
Montréal (Qc) - CANADA H2Y 1K9

INTRODUCTION

Le présent recueil comporte l'ensemble des communications faites au cours du colloque bilingue qui s'est tenu à New York University, les 4 et 5 avril 1997. Son titre, *Discours sur le métissage, identités métisses: en quête d'Ariel (Looking for Ariel: Discourse on/of métissage)*, fait allusion au personnage shakespearien, reconceptualisé dans *Une Tempête* par Aimé Césaire qui en fait, pour ainsi dire, un "mulâtre générique".

Cette conférence a rassemblé, dans un esprit de convergence inter-disciplinaire et linguistique, un groupe de chercheurs et d'écrivains qui ont interrogé, chacun dans sa perspective de choix, l'idée de métissage, avec le souci d'éclairer l'actualité contemporaine. Il s'agissait en effet d'établir et d'explorer continuités, ruptures et tensions entre la notion qui circule dans l'histoire des idées, les représentations des métis dans l'art et la culture, et les expériences vécues d'une identité euro-africaine. Et ce faisant, de ne négliger ni la théorie ni l'exception.

Bien que les déplacements individuels ou collectifs aient donné lieu à des brassages multiples, le phénomène désigné comme *métissage* est plus particulièrement lié à la rencontre coloniale et à la découverte du corps de l'Autre. Les enjeux sont d'une acuité particulière lorsqu'il s'agit de la rencontre Afrique/Europe. Constitutif des relations réelles et fantasmées entre ces deux continents qui s'inter-inventent, le concept de métissage doit d'abord être saisi dans les spécificités de sa genèse et de son histoire. Il se déclinera différemment bien sûr dans chaque contexte géo-linguistique. Les travaux menés au cours de ce colloque se sont limités à l'aire francophone, et s'intéressent en particulier à l'Europe, à l'Afrique et aux Antilles, mais en faisant place à d'utiles jonctions avec d'autres régions, notamment avec les Etats-Unis. Cette focalisation différencie notre ouvrage des Actes du Colloque International de St-Denis de la Réunion (2-7 avril 1990) publiés en deux volumes sous le titre *Métissages* (Paris: L'Harmattan, 1992), quoiqu'ils restent une de nos références.

Si le contexte francophone retient l'attention, c'est que dans ce système tripartite, le concept de métissage a contribué à la transformation des catégories de la raison classificatoire, et a permis d'articuler une série de formations identitaires interdépendantes – nationales et coloniales. Il a contribué à la modification du regard porté sur les corps, ou à celle des corps eux-mêmes, ainsi qu'à la détermination d'identités juridiques, mais aussi aux métamorphoses des expressions de l'intime. Aujourd'hui, dans un contexte post-colonial, il est encore à l'œuvre dans les représentations des relations entre la France, l'Afrique et la Caraïbe, et dans la gestion de l'immigration en provenance des anciennes colonies. Dans le processus actuel de globalisation économique, politique, culturelle, le métissage est plus que jamais un concept-clé pour comprendre les aventures et l'avenir de l'identitaire dans l'aire francophone.

La notion de métissage et les représentations qui lui sont associées sont ainsi devenues centrales dans les différentes disciplines des sciences humaines, dans la théorie littéraire et dans le travail des écrivains francophones. A ces différentes réflexions qui ne se rencontrent que rarement, le colloque a offert un site de fructueux échanges. Des lignes de communication ont été établies entre chercheurs et écrivains, entre ceux-ci et un auditoire universitaire et non-universitaire. Publier les actes de ce colloque, c'est prolonger quantitativement et qualitativement ces conversations, les partager avec un public élargi, avec l'espoir de provoquer de nouvelles réponses.

La matière de ce livre (agencé selon l'ordre des interventions au colloque) est la suivante. Mes remarques préliminaires sont une fresque des occurrences d'Ariel-le-métis dans quelques textes de fondation et dans la littérature française/francophone. Jean-Loup Amselle, quant à lui, montre que l'idée d'une France métissée, multiculturelle, ne contredit paradoxalement pas celle d'un pays divisé racialement entre Français de souche et allochtones. La solution résiderait plutôt dans un brassage des distinctions sociales. Pour Edouard Glissant, du formidable choc entre cultures ataviques a résulté un macro-métissage qu'il appelle les cultures composites. Dans la Caraïbe et au-delà, les développements sociaux, linguistiques et littéraires que ce choc a libérés sont autant de manifestations d'une créolisation en cours. Jean-Luc Bonniol rappelle que le métissage, génétiquement non-définissable, est un processus qui s'articule au social. Il s'intéresse particulièrement à la "fabrique" du métissage aux Antilles comme moyen de structurer la population en fonction des origines, et *a contrario*, à la possibilité d'investir positivement le concept en l'appliquant aux rencontres de cultures. Passant en revue la législation d'hier et d'aujourd'hui, Emmanuelle Saada démonte les mécanismes de la construction d'une question sociale: ainsi le métissage est-il à la fois le catalyseur aux colonies de processus collectifs de définition d'identités nationales et coloniales, et le dépositaire contemporain de ces hantises tropicales. Louis Sala-Molins rapproche le gommage juridique de la "noirceur" chez le métis dans les Codes Noirs français et espagnol, et la thèse de Condorcet sur la fusion des Noirs aux Blancs par dégénérescence des premiers en vue d'une libre cohabitation aux colonies. Claude Liauzu étudie la spécificité des discours culturels, politiques et littéraires sur les mariages mixtes entre Français et Algériens, alliances souvent perçues comme métaphores d'une relation France-Algérie surdéterminée et scoriée par l'histoire coloniale. Dans son témoignage, Henri Lopès revendique les trois composantes de sa personne: celle de l'Africain métis, celle du voyageur international, celle de l'écrivain. Trois identités, certes, mais une voix et une mission, suggère-t-il. L'étude de Michel Laronde aboutit à une redéfinition du métissage comme trope qui, de valeur idéologique hors du texte, serait devenue valeur esthétique dans la pratique textuelle. Il centre son étude sur deux romans des immigrations en France: *Le Chinois vert d'Afrique* et *le Petit prince de Belleville*. Werner Sollors s'interroge sur la thématisation d'un texte, par exemple celle du métissage (*miscegenation*). Il analyse les enjeux du débat aux Etats-

Unis autour de la publication en 1958 d'un livre pour enfants, *The Rabbits' Wedding* dont l'auteur, Garth Williams, fut suspecté de promouvoir les mariages interraciaux alors illégaux. Ronnie Scharfman, en rapprochant deux romans et deux auteurs (*La Mulâtresse Solitude* d'André Schwarz-Bart et *Moi, Tituba, sorcière noire de Salem* de Maryse Condé) réfléchit sur deux génocides, le Middle Passage et l'Holocauste, pour définir le métissage comme la textualisation de la mémoire raciale et la quête du sens de l'appartenance. Une même poétique du métissage se retrouverait dans l'œuvre de l'actrice Anna Deavere Smith. Pour Maryse Condé, le métissage se réalise déjà avec le livre-objet francophone. Il résulte aussi de l'innutrition de l'écrit par l'oralité – par le créole, en particulier; ou encore du mélange des niveaux de langue. Le métissage, qu'on lierait à tort à des questions d'ethnicité, accompagne le brassage des cultures: il est la chance de la Caraïbe.

Cet ouvrage est le produit de dons multiples, en connaissances, en temps, en fonds. Je veux tout d'abord remercier Emmanuelle Saada, avec qui j'ai eu le plaisir d'organiser le colloque "En quête d'Ariel" à NYU en avril 1997. Je remercie également Thomas Bender, Dean of the NYU Faculty of Arts and Science, M. Buhler, conseiller culturel adjoint à l'ambassade de France de New York, Professeur Bishop, directeur d'NYU Center for French Civilization and Culture, et Professeur Diawara, directeur d'NYU Africana Studies Program, de l'intérêt qu'ils ont immédiatement manifesté pour le sujet. Bien sûr, cette rencontre internationale et sa documentation n'auraient pas été possibles sans la générosité des services culturels de l'ambassade de France, du Haut Conseil de la Francophonie, d'NYU Faculty of Arts and Science, du Department of Comparative Literature avec, à sa tête, Professeur Wick, du Center for Latin American and Caribbean Studies et de son directeur Chris Mitchell, du Bureau de Promotion de la Martinique à New York et de sa directrice Muriel Wiltord-Latamie. J'ajoute que l'enthousiasme vrai avec lequel mes collègues intervenants ont immédiatement répondu à ce projet de publication n'a cessé de me porter dans sa réalisation. Cet effort commun de recherche, de mises au point, de remises à jour – post-colloque – a été très stimulant. Mes remerciements vont aussi à Nicole Rudolph qui s'est scrupuleusement chargée du travail de mise en page et de retouche. Toute ma gratitude à Louis Delsarte qui m'a gracieusement autorisée à utiliser son tableau "Fusion" pour la couverture de ce livre.

Sylvie Kandé

REMARQUES LIMINAIRES

Sylvie Kandé

Eh bien, je me tiens devant vous, selon l'expression de Montaigne, "chancelante et métisse"! Oui, l'usage du mot est ancien, aussi ancien que l'idée de Nouveau Monde, et également ambigu. Il se dit tout d'abord en espagnol, *mestizo*, pour désigner le fruit de la rencontre mortifère et féconde de Prospéro et des sœurs de Caliban. Au commencement donc était le regard, ensuite vint la méprise puis le métis. Peut-être pourrait-on considérer avec l'écrivaine Alicia Duvojne Ortiz qu'en 1492, c'est le monde qui se métisse, irrémédiablement, et qu'aujourd'hui l'Europe ne court pas le risque pas de devenir métisse, puisqu'elle l'est déjà dans l'âme depuis 5 siècles.[1]

Triple méprise, cependant: d'abord le Nouveau Monde n'était novelté que pour les arrivants, et encore y ont-ils reconnu, en l'abordant, des lieux mythiques et des monstres littéraires déjà familiers. Par ailleurs, brassages et migrations étant phénomènes aussi généraux que la prohibition de l'inceste et le principe d'exogamie – mis en scène dans le récit de l'enlèvement des Sabines, par exemple – la conjoncture de 1492 n'exigeait guère, *a priori*, de néologisme. Mais sur la plage caribéenne, où débarquent les esclaves africains à la suite des conquérants et voyageurs européens, c'est moins le métissage que l'on découvre – preuve de l'unité de l'espèce humaine dans ses légères variations épidermiques – que la notion de race que l'on invente. Car, dans ces lieux de rencontres coloniales que Jean Bernabé, Patrick Chamoiseau et Raphaël Confiant ont appelé "de véritables forgeries d'une humanité nouvelle"[2] se sont

---

[1] Alicia Dujovne Ortiz, "Le mépris, la méprise et le métis," *Magazine littéraire*, 296, février 1992, p. 57.

[2] Jean Bernabé, Patrick Chamoiseau et Raphaël Confiant, *Eloge de la Créolité. In Praise of Creoleness* (Paris: Gallimard 1993), p. 26.

d'abord et avant tout fabriqués les termes d'un nouveau lexique de l'altérité et la grammaire de nouveaux rapports humains. Sur la base d'une gigantesque erreur de traduction, puisqu'elle établit une équivalence arbitraire, quoique commode, entre le somatique et l'économique, entre couleur, barbarie et servitude. Caliban, le Caraïbe, est un cannibale. Après cinq siècles, ce contre-sens continue de gauchir notre lecture du général et du particulier, du théorique et du quotidien, du législatif et du social. Contre la force de l'évidence, il reste heureusement l'ironie, celle d'un Jean Genêt par exemple, qui écrit en exergue de sa pièce, *Les Nègres*:

> Un soir un comédien me demanda d'écrire une pièce qui serait jouée par des noirs. Mais qu'est-ce que c'est donc un noir? Et d'abord, c'est de quelle couleur?[3]

Sans surprise, c'est une traductrice – trahissant en traduisant – qui a été construite comme figure emblématique du métissage: je veux parler de la Malinche/Marina la maudite, guide et interprète de Cortés. De sa trame serait sortie une ère nouvelle, ce que l'histoire appelle les temps modernes. Et de son ventre, un fils qui aurait fait d'elle et de Cortés les parents symboliques d'une lignée de *mestizos*.[4]

Longtemps connoté indien, le mot *mestizo* ou *métis* n'a pas suffi à décrire le prisme colonial soudain repéré ni le brouillage des lignes de couleur. Le métissage, résultante et défaut d'une nouvelle représentation *olichrome* de l'humain, réclamait des outils sémantiques de précision. Il s'agissait en effet d'ordonner le chaos occasionné par la licence en climat chaud, en se donnant les moyens de mesurer et de classifier la différence. L'impur, propose Pierre-André Taguieff en se référant à l'essai de Mary Douglas *De la souillure. Essai sur les notions de pollution et de tabou*, c'est d'abord ce qui n'est

[3] Jean Genêt, *Œuvres complètes*, vol. 5 (Paris: NRF Gallimard, 1979), p. 79.

[4] Sandra Messinger Cypress, *La Malinche in Mexican Literature. From History to Myth* (Austin: University of Texas Press, 1991), p. 28.

pas à sa place.[5] Il n'est que de consulter l'article "mulâtre" dans le *Grand Dictionnaire Universel Larousse du XIXè siècle*, publié en 1874 pendant le grand rush colonial, pour jauger de l'angoisse qui tente de s'exorciser par le biais d'une terminologie pour le moins byzantine. Glosant Virey, contributeur au *Dictionnaire des Sciences médicales* de 1819, Larousse explique que:

> quatre degrés ont été établis dans les différents mélanges des races et espèces humaines. Le premier est celui des mélanges simples; par exemple un blanc européen avec une négresse produisent un véritable mulâtre... Si ces mulâtres se marient entre eux, ils engendrent des... casques... Les blancs avec les Indiens asiatiques produisent des individus mixtes qu'on nomme plus particulièrement métis. Avec les Indiens d'Amérique, les blancs produisent des mestices ou west-indiens. Le nègre avec l'Américain caraïbe donne naissance à des... zambis ou lobos.... La seconde génération comprend les produits des mélanges précédents combinés avec une race primitive...(pp. 672-3)

Mais je préfère vous en faire grâce, ainsi que de la troisième et quatrième générations, ainsi que des mélanges infinis qui, selon l'auteur, n'ont point reçu de nom. Le français contemporain, comme le note Michel Laronde dans *Autour du roman beur*, ne recense plus que les unions impliquant la dite race blanche, placée ainsi en position médiane; si "Blanc+Noir" donne "mulâtre", et "Blanc+Jaune" "eurasien", il n'existe guère de codification pour "Noir+Jaune".[6] A la seconde et troisième générations ne subsiste de nomenclature que pour l'addition "Blanc+Noir", à savoir "terceron" et "octavon" – indication que ce métissage-là résisterait davantage à la résorption. "Sang-

---

[5] Pierre-André Taguieff, *La Force du préjugé* (Paris: La Découverte, 1987), p. 343.

[6] Michel Laronde, *Autour du roman beur. Immigration et Identité* (Paris: L'Harmattan, 1993), p.168-172. Le terme "négrasien" figure dans certains textes ethnographiques relatifs à l'Indochine, mais il est resté un localisme.

mêlé" et "gens de couleur", termes usités au 18ème siècle, ont été remplacés par celui de "métis" qui fait désormais partie du vocabulaire jeune. Branchés, la musique et les défilés de mode métis; branché, le look Yannick Noah.

Ce n'est évidemment pas le procès de la taxinomie relative au métissage que nous allons intenter ici; il est plutôt question de comprendre la valeur épistémologique du concept dans les sciences et les disciplines; d'étudier comment on a nommé et décliné la dite différence qui est le résultat d'une opération consistant à soustraire l'individuel au référentiel pour trouver l'inconfortable ou le fascinant. Taguieff appelle *mixophobie* ou *mixophilie* les avatars de ce paradigme dans les discours contemporains qui substituent volontiers la différence culturelle, psychique ou mentale à la différence biologique, ou bien les superposent. Le fameux *g factor*, par exemple.[7]

Pour ce colloque, le site de reflexion a été circonscrit en fonction de deux préoccupations de départ: le rapport Afrique/Europe, ou pour être faussement explicite le rapport Noir/Blanc, et l'expression en français de ce métissage-là. Sans exclure cependant d'autres questions corrélatives, et sans préjudice d'une déconstruction des termes de la problématique, manifestement déjà entamée, ce choix s'explique par des raisons à la fois pratiques et théoriques. A présent que les rouges et les jaunes ont disparu..., les seules catégories sémantiques raciales qui se maintiennent sont la noire et la blanche. En tant que futurs archaïsmes, elles méritent, je crois, une attention spéciale. L'intensité particulière du rapport Europe/Afrique témoigne de la prégnance d'une fiction dans laquelle s'inscrit leur longue et tumultueuse histoire commune, et au travers de laquelle les deux continents continuent de s'inter-inventer. Dans *Invention of Africa*, Valentin Mudimbe a montré notamment le jeu de miroir entre les textes de ce qu'il appelle la librairie coloniale, un nouveau corpus anthropologique émanant entre

---

[7] Philippe Rushton, *Race, Evolution and Behaviour: a Life Historical Perspective* (New Brunswick: Transaction Publishers, 1995) ou Arthur Robert Jensen, *The g Factor: the Science of Mental Ability* (Westport, Conn.: Praeger, 1998).

autres de Durkheim, Griaule, Frobenius qui publient dans les premières décennies du 20ème siècle, et les théories élaborées par l'intelligentsia africaine dans les années 40-60, telles que la négritude ou le nkrumahisme.[8] Jean-Loup Amselle a aussi fait valoir que les typologies de l'anthropologie politique en usage pendant la colonisation ont été à la base de bien des représentations politiques africaines contemporaines.[9] Dans le rapport Afrique/Europe, tout se passe comme s'il y avait articulation des récits dans le cadre d'un méta-conflit des mémoires. On pourrait par exemple reconstituer une mémoire africaine de la Ville-Lumière au travers de quelques textes littéraires francophones, disons depuis *Mirages de Paris* jusqu'à *Topographie idéale pour une agression caractérisée* en passant par l'*Aventure ambiguë*. Et puis la mettre en regard d'une autre tradition discursive ou sémiotique qui comprendrait en vrac la table tactile *Soudan-Paris* du futuriste Marinetti; le rallye Paris-Dakar; l'exposition coloniale de 1931 qui réussit à mettre, pour le meilleur et pour le pire, le tout dans la partie, la "plus grande France" à la porte de Vincennes; le musée du Trocadéro, de l'Homme, des Arts Premiers.

Parce qu'elle a hérité de la fiction à deux et de la mathématique raciale que j'évoquais précédemment, la notion de métissage a souvent servi d'outil mnémotechnique pour se souvenir de l'existence opposée des races. "Le mélange des genres, a-t-on dit, est une preuve de leur existence".[10] Trope d'une ressemblance dans une économie d'échange inégal, le métissage est une métaphore qui parle d'un conflit de pouvoir et de ses négociations. Il est donc apparu tantôt comme une stratégie de rédemption, ou d'accumulation eugéniste de forces (re)productives, tantôt comme une forme de dégénerescence. En cela, il n'a souvent

---

[8] Valentin Mudimbe, *Invention of Africa: Gnosis, Philosophy and the Order of Knowledge* (Bloomington: Indiana University Press, 1988), pp. 175-186; *Idea of Africa* (Bloomington/London: Indiana University Press, 1994), pp. 129-153.

[9] Jean-Loup Amselle, *Logiques métisses: Anthropologie de l'identité en Afrique et ailleurs* (Paris: Payot, 1972), p. 29.

[10] Gérard Genette, *Seuils* (Paris: Seuil 1987), p. 329.

été qu'une extension politique de la question agricole ou zoologique de l'hybridation, suscitant les mêmes polémiques sur la stabilité transgénérationnelle des caractères doubles acquis par croisement, ou le retour de l'hybride à l'une des races-mères.[11] Diderot par exemple, réécrivant le récit mythique de l'arrivée de Bougainville à Tahiti, en propose la version indigène, une qui boursicote sur les valeurs génétiques:

> Vous arrivez [dit le Tahitien Orou à l'aumonier]: nous vous abandonnons nos femmes et nos filles; ... vous nous remerciez, lorsque nous asseyons sur toi et tes compagnons la plus forte des impositions... nos femmes et nos filles sont venues exprimer le sang de tes veines. Quand tu t'éloigneras, tu nous auras laissé des enfants: ce tribut levé sur ta propre personne, sur ta propre substance, à ton avis, n'en vaut-il pas bien un autre? Et si tu veux en apprécier la valeur, imagine que tu aies 200 lieues de côtes à courir et qu'à chaque 20 milles on te mette à pareille contribution... crois que, tout sauvages que nous sommes, nous savons aussi *calculer* [spn].[12]

L'article mulâtre du *Supplément de l'Encyclopédie* indique que le métissage, tout indésirable qu'il soit aux colonies, pourrait toutefois servir de cordon sanitaire contre la rébellion des esclaves et ouvrir des marchés, car "la consommation que les mulâtres libres font des marchandises de France... est une des principales ressources du commerce des colonies".[13] Un exemple de cette réussite économique, ce sont les *signares*, ces femmes africaines ou eurafricaines de Gorée et de St-Louis, associées au personnel colonial français

---

[11] Rapprocher par exemple l'article "métissage" et le commentaire final de l'article "mulâtre" dans le *Grand Dictionnaire Universel Larousse du XIXème siècle.*

[12] *Supplément au voyage de Bougainville* (Paris: Garnier-Flammarion, 1972), pp. 174-75.

[13] Cité par Laurent Versini, "Le métissage de l'*Encyclopédie* à la Révolution: de l'anthropologie à la politique", *Métissages* (Paris: Cahiers CRLH-CIRAOI n°7- 1991, tome I, L'Harmattan, 1992), p. 13.

par des “mariages à la mode du pays” depuis la fondation des comptoirs du Sénégal au 17ème siècle. Ces alliances temporaires, profitables aux deux parties, ont permis l’essor d’une élite côtière, dont la vie fastueuse a été décrite par Pruneau de Pommegorge dans ses récits de voyage, puis plus récemment par Tita Mandeleau dans son roman historique *Signare Anna* et par Giraudeau dans son film *Les caprices d’un fleuve*. La fortune privée de ces signares, dont l’une des plus fameuses est sans doute Anne Pépin, compagne du chevalier de Boufflers, se mesurait en propriétés immobilières, en bateaux de traite, en or et en esclaves. Leurs enfants, baptisés et portant le nom de leur père, sont à l’origine de certaines grandes familles métisses établies au Sénégal aujourd’hui.

Rêve prométhéen d’améliorer la nature humaine chez les idéologues Volney ou Thurot par exemple, le métissage, c’est aussi parfois l’espoir d’échapper aux méta-récits communautaires, à ces textes fondateurs qui, comme Werner Sollors l’a fait observer, contribuent au maintien de communautés par “reverbération” et aux distinctions ethniques.[14] Pour s’en tenir à des exemples littéraires, on voit bien que Mireille dans *Un Chant écarlate* de Mariama Bâ, Oumar Faye dans *O pays, mon beau peuple* d’Ousmane Sembène, Elise dans *Elise ou la vraie vie* de Claire Etcherelli, la narratrice des *Raisins de la Galère* de Tahar Ben Jelloun sont des fugueurs, en rupture de ban avec les grands mythes nationaux.

Le métissage, qui resurgit inévitablement comme question aux étapes-clés de la construction nationale, peut *a contrario* symboliser l’obstacle à la libération ou la cohésion du groupe, apparaître comme la preuve – par l’utopie ou par l’absurde – de la nécessité historique d’une préférence endogène. C’est ainsi que Ousmane Socé, dans *Mirages de Paris*, fait dire au philosophe Sidia, lecteur de Durkheim, de Maran, de Dostoïevsky et d’Hitler, lorsqu’il envisage le futur de l’Afrique:

---

[14] Werner Sollors, *The Invention of Ethnicity* (New York/Oxford: Oxford University Press, 1989), p. XIV.

> Il ne faut pas que nous, élite noire, nous ayons des enfants métis. Ceux-ci retourneront à la race blanche un jour ou l'autre. Et la race noire qui a tant besoin de cadres, se trouvera écrémée de génération en génération.[15]

Cette logique protectionniste a son pendant. Elle a traversé, quoique de façon plus feutrée, les débats de la commission de la nationalité, mise en place en 1986 par le Conseil d'Etat en France. La synthèse des différentes opinions qui s'y sont exprimées a fait le lit de la réforme du code de la nationalité, marquée, comme le montre Danièle Lochak, par "le rétrécissement de toutes les voies d'accès à la nationalité française, filiation exclue".[16] Pour notre propos, il faut relever en particulier les restrictions apportées au double droit du sol dont bénéficiaient les enfants nés en France de ressortissants d'ex-colonies françaises, ainsi que le renforcement du contrôle sur les mariages entre Français et étrangers. Evoquant les effets délétères des flux migratoires extra-européens sur l'identité nationale, on a fait valoir que:

> les valeurs de civilisation ne peuvent s'accommoder, sans grave danger, des effets dissolvants d'une juxtaposition multiculturelle, génératrice de ghettos...; nous risquons d'assister à la progressive émergence d'une tour de Babel dont chacun sait qu'elle porte en elle les germes d'une confusion déstructurante.[17]

Là, il ne s'agit pas d'un texte de fiction, mais de déclarations faites au cours des débats parlementaires précédant l'adoption de la loi du 22 juillet 1993. Elles nous rappellent qu'en 1777 "nègres et mulâtres" séjournant en France ont fait l'objet d'un décret d'expulsion (d'ailleurs confirmé en 1818) en

---

[15] Ousmane Socé, *Mirages de Paris* (Paris: Nouvelles Editions Latines, 1964), p. 146.

[16] Danièle Lochak, "Genèse idéologique d'une réforme", *Hommes et Migrations* 1178, juillet 1994, pp. 23-29.

[17] *Ibid.*, p. 26.

raison, comme l'expliquait le sécrétaire d'état Choiseul, du "désordre qu'occasionne leur communication sur les Blancs dont il est résulté un sang mêlé qui augmente tous les jours".[18] Ces déclarations font un écho troublant à des thèses qu'on aurait pu croire désormais indéfendables, comme celles de l'anthropologue-médecin René Martial. Celui-ci suggérait de faire en matière d'immigration une distinction entre métis adaptables (ceux qui ont des affinités biochimiques et psychologiques avec les Français) et les autres, au nombre desquels les Juifs, qu'il décrivait comme des métis atypiques, largement asiatisés et mûs par l'esprit de conquête. Le Dr Martial a développé son analogie entre immigration et "transfusion sanguine ethnique" – exigeant sélection du donneur – dans une série d'études dont *Les Métis ou Nouvelle Etude sur les Migrations, le Problème des Races, le Métissage, la Retrempe de la Race et la Révision du Code de la Famille* publiée en 1942.[19] Aujourd'hui le métissage reste au cœur du débat sur l'immigration, d'autant que la fermeture des frontières en 1974 a paradoxalement découragé le retour au pays d'origine. Que l'on n'entrevoie avec Emmanuel Todd pour les immigrés que la dispersion dans la population française comme alternative à la ségrégation,[20] ou que l'on cherche un moyen terme entre droits individuels et droits collectifs, comme Jean-Loup Amselle,[21] il est réconfortant de constater qu'à Paris, à Strasbourg, et ailleurs, à l'initiative de cinéastes, de gens de lettres, de cœur et d'esprit, le discours chargé d'histoire de la xénophobie vient d'être désavoué.

---

[18] Jean-Michel Deveau, *La France au temps des Négriers* (Paris: France-Empire, 1994), p. 242.

[19] Voir Françoise Vergès, "Métissage, discours masculin et déni de la mère", *in* M. Condé et M. Cottenet-Hage, eds., *Penser la Créolité* (Karthala, 1995), pp. 69-83. Voir aussi Pierre-André Taguieff, "Classer, hiérarchiser, exclure", *Des Sciences contre l'homme*, tome 1, ed. C. Blanchot (Paris: Autrement, 1993), pp. 144-167.

[20] Emmanuel Todd, *Le Destin des Immigrés. Assimilation et ségrégation dans les démocraties occidentales* (Paris: Seuil. Collection l'Histoire Immédiate, 1994).

[21] Jean-Loup Amselle, *Vers un multiculturalisme français. L'empire de la coutume* (Paris: Aubier, 1996).

Multidisciplinaire, cette conférence va nous permettre d'interroger les usages littéraires et politiques de la métaphore du métissage, dans le passé, dans le présent, et peut-être même d'imaginer son futur, ou sa mort. Mais on réfléchira aussi à son usure, à "l'effacement de son efficace et à l'usure de son effigie", pour emprunter les termes de Derrida dans "Mythologie blanche".[22] En appliquant de façon lapidaire et partielle son analyse, on pourrait en effet avancer que le mot *métis*, dont le sens propre et concret est à rechercher du côté du latin *mixtus* (mélangé), passé au français sous sa forme tardive *mixticius,* a subi une double ou triple métaphorisation. La première acception du mot, attestée au 12ème siècle, subsiste aujourd'hui dans le lexique du textile: un drap métis, c'est un drap fil et coton. On imagine bien comment au 16ème siècle, le cours de ce premier sens a été grossi et infléchi par son équivalent espagnol, néologisé par la situation coloniale en Amérique. Mais plus de métaphore, encore. Car, à considérer une série d'essais critiques récents, on a l'impression que l'inscription raciale, héritée du 16ème siècle, est en train de s'effacer, et que le concept de métissage, en s'abstrayant de considérations strictement phénotypiques, a produit de l'intérêt/des intérêts du fait même de sa circulation. Il y a donc usure, et doublement.

La spécificité du concept français/francophone de métissage, avec ses dérives et dérivations, explique le titre anglais singulier de ce colloque: *Looking for Ariel: discourses on/of métissage*. Son caractère hétéroclite tient à une absence voulue de protectionisme linguistique et reflète un certain baroque postcolonial bien dans l'air du temps. Par bonheur, le nom Ariel se traduit bien. C'est Ariel et vice-versa. Et lorsqu'Aimé Césaire écrit *Une Tempête*, l'Ariel shakespearien – cet esprit aérien, doué de pouvoirs magiques, largement soporifiques d'ailleurs, tout entier dévoué au service de Prospéro – devient, sous la plume caustique de Césaire,

---

[22] Jacques Derrida, *Marges de la philosophie* (Paris: Editions de Minuit, 1972), p. 250.

"ethniquement un mulâtre".[23]

Une ethnie mulâtre? On doit à un groupe de chercheurs dont Jean-Loup Amselle, Elikia M'bokolo, Paul Mercier, la remise en cause de la notion d'ethnie. Dans leurs travaux respectifs, publiés au milieu des années 80, ils ont souligné le flou terminologique dans lequel sont groupées, pêle-mêle, des aires culturelles et linguistiques, des zones d'influence politique, des sociétés effectives – toujours hors-Occident. Or, l'ethnie, qui ne saurait être définie ni par un ancêtre ni par une langue, ni par un habitat communs, est une formation historique instable et protéiforme: elle se défait ou se renforce, surtout en période d'insécurité. En bref, et pour reprendre le titre de l'ouvrage de Jean-Pierre Chrétien et de Gérard Prunier, *les ethnies ont une histoire*.

Peut-être faudrait-il alors parler de sociétés métisses, à propos de ces régions du monde qui ont connu le système de plantation, comme la Caraïbe, le Brésil ou les Etats-Unis. C'est la qualité métisse des Antilles qui a fasciné Michel Leiris par exemple; et cette qualité, qu'il retrouve dans le jazz, c'est, dit-il, "ce mélange extraordinaire où l'on retrouve des traits africains brassés avec un provincialisme français et toutes sortes d'autres éléments."[24] Plusieurs difficultés cependant. La première, c'est que les sociétés en question ne se pensent pas nécessairement comme telles. C'est le cas des Etats-Unis où le concept de métissage n'a pas été inventé, sinon sous la forme de *miscegenation*, terme péjoratif qui particularise abusivement une généralité – toute naissance supposant mélange de gènes – et qui dénote une phobie d'attrition démographique dont les agents ont été pénalisés jusqu'en 1967, date d'intervention de la Cour Suprême sur le statut légal des mariages dits mixtes.[25] L'idée de "bi- ou multi-racialité" commence cependant à être débattue aux

---

[23] Aimé Césaire, *Une Tempête* (Paris: Seuil, 1969) "Personnages" [sans page].

[24] Michel Leiris, "L'Autre qui apparaît chez nous", *Jazz Magazine*, 325, janvier 1984, p. 345.

[25] Voir Sylviane Diouf-Kamara, "USA: A la recherche d'une troisième voie", *Hommes et Migrations*, 1161, janvier 1993, pp. 29-33.

Etats-Unis, à l'approche du recensement de l'an 2000, et avec la perplexité d'un nombre croissant d'individus bien en peine de se caser dans les cases ethniques prévus par les formulaires, quoique certains soient conscients et des enjeux politiques de leur choix, et de l'inefficacité d'une catégorie "multiraciale" supplémentaire.

En ce qui concerne les Antilles, des efforts théoriques remarquables ont été déployés pour décrire la situation identitaire et les conditions de possibilité d'une littérature, au nombre desquels – et pour se cantonner à la Martinique dans la seconde moitié du 20ème siècle – ceux d'Aimé Césaire, d'Edouard Glissant, de Frantz Fanon et du groupe de la Créolité. Avec le concept d'Antillanité, Glissant a proposé de rompre avec toute extériorité, européenne ou africaine, pour réamarrer la Caraïbe au continent américain. Pour lui, le processus de créolisation de ces sociétés nées de la traite a commencé avec le cri proféré dans la cale même du bateau négrier et a trouvé son apothéose dans la course silencieuse du Nègre Marron. Mais voici que triomphe l'ensemble diffracté du Divers – de l'oral, de la contre-mémoire, et du rhizomatique – sur le Même, c'est-à-dire les valeurs occidentales canonisées en un Universel, annonce Glissant. Poésie et poétique de la relation, ce métissage-là s'est réapproprié aussi bien St John Perse que Fanon, Faulkner qu'Alexis.[26] En néologisant le mot *créole*, Chamoiseau, Confiant et Bernabé se distancient à la fois de la négritude et de l'antillanité, pour mettre en avant une identité locale, agglomérat grumeleux de toutes les composantes culturelles de la Caraïbe qui serait le point nodal d'un monde lui-même "en allé en créolité". *Eloge de la Créolité* célèbre la Diversalité qui défie les identifications réductrices: "Ni Européens, ni Africains ni Asiatiques, nous nous proclamons créoles"[27] affirment les auteurs qui militent pour une littérature faite "de deux langues, mais d'une même

[26] Edouard Glissant, *Le Discours antillais* (Paris: Seuil, 1981), pp. 190-201, par exemple.

[27] Jean Bernabé, Patrick Chamoiseau, Raphaël Confiant, *Eloge de la Créolité* (Paris: Gallimard, 1993) p. 13.

trajectoire":[28] en somme, mais sans le formuler ainsi, pour ce que Maryse Condé appelle le métissage du texte, c'est-à-dire le substrat et l'esthétique "multiformes, pluriels, polyphoniques" communs à toute écriture antillaise[29] et que le prix Goncourt attribué à Patrick Chamoiseau pour *Texaco* est venu récompenser.

La créolité semble donc à première vue réconcilier une société longtemps divisée par des lignes de couleur et contrôlée par une pigmentocratie au statut juridiquement défini. Très tôt en effet, une série de mesures avaient été prises dans les colonies antillaises au sujet des mulâtres afin d'enrayer une crise potentielle d'un système fondé sur un partage clair et distinct entre libres et esclaves. Les travaux de Louis Sala-Molins, et tout particulièrement son analyse comparative du Code Noir de 1685 (article 9) et du Code Noir de Louisiane de 1724 (article 6),[30] ont mis en évidence un durcissement progressif des dispositions relatives aux unions entre libres et esclaves. Si les deux textes prévoient des amendes pour la naissance d'enfants illégitimes, le second interdit d'hypothétiques mariages interraciaux, mais aussi le très ordinaire concubinage. L'article 13 précise qu'en vertu du principe de droit romain *partus sequitur ventrem* le statut de la mère passera à l'enfant – ce qui garantit que les mulâtres naissent esclaves, même si ultérieurement, ils peuvent parfois être affranchis ou se redîmer.

Une autre stratégie de contrôle du métissage a consisté, dans une perspective évolutionniste largement intériorisée par les intéressés, à accorder privilèges et distinctions, en proportion du degré d'éloignement de ce que Jean-Luc Bonniol appelle le "maléfice de la couleur".[31] Au

---

[28] Patrick Chamoiseau et Raphaël Confiant, *Lettres Créoles. Tracées antillaises et continentales de la littérature. Haïti, Guadeloupe, Martinique, Guyane 1635-1975* (Paris: Hatier 1991), p. 13.

[29] Maryse Condé, "Tracés de la Littérature Antillaise", *Black Renaissance/ Renaissance Noire*, vol. 1, no. 1, Automne 1996, p. 163.

[30] Louis Sala-Molins, *Le Code Noir ou le calvaire de Canaan* (Paris: Presses Universitaires de France, 1987), pp. 106-118.

[31] Jean-Luc Bonniol, *La Couleur comme maléfice. Une illustration créole de la généalogie des "Blancs" et des "Noirs"* (Paris: Albin

nombre de ces capitaux sociaux, la liberté et la "peau sauvée", selon l'expression consacrée, que l'on transmettra en héritage par des stratégies matrimoniales susceptibles de combler ce "désir de lactification" de la bourgeoisie de couleur, diagnostiqué par Fanon.[32] C'est dans le cadre de cette double contrainte qu'il faut comprendre par exemple la démarche des *gens de couleur* de St-Domingue auprès de la Convention. Propriétaires à la veille de la Révolution française d'1/3 des terres et d'1/4 des esclaves de St-Domingue, mais empêchés dans leur mobilité sociale par le préjugé de couleur, ils viennent revendiquer à Paris, non la fin de l'esclavage, mais l'égalité civile pour tous les libres.[33] Alejo Carpentier évoque dans *Le Siècle des Lumières* le martyr de Vincent Ogé, un de leurs délégués, écartelé par les planteurs à son retour à St-Domingue.

Les castes, comme les ethnies, ont donc une histoire. En dépit de sa formule équivoque, Césaire a fait de son Ariel le symbole, non d'une race ou d'une ethnie, mais d'une caste attachée à ses privilèges, réformiste et idéaliste. A Caliban, le révolutionnaire, qui crie: "... demain ne m'intéresse pas. Ce que je veux, c'est... Freedom now!", Ariel répond qu'il s'agit de changer Prospéro sans violence, ajoutant:

> J'ai souvent fait le rêve exaltant qu'un jour, Prospero, toi et moi, nous entreprendrions, frères associés, de bâtir un monde merveilleux, chacun apportant en contribution ses qualités propres..., sans compter les quelques bouffées de rêve sans quoi l'humanité périrait d'asphyxie.[34]

Mais en matière de métissage, le glissement est facile du biologique au psychique, du psychique au politique, du personnage à l'auteur et vice-versa. L'Ariel, toujours chancelant et métis, ne serait-il pas l'essence du vacillement

---

Michel, 1992).

[32] Frantz Fanon, *Peau noire, masques blancs* (Paris: Seuil, 1952), p. 38.

[33] Yves Benot, *La Révolution française et la fin des colonies* (Paris: La Découverte, 1987), voir chapitre 3, "L'affaire des mulâtres".

[34] *Une Tempête*, pp. 35-37.

et de la compromission?
– Que peut bien être “l'esprit mulâtre”, bon Dieu? tonne René Ménil,[35] en réponse à Raphaël Confiant qui avait déclaré au magazine *Antilla* du 9 décembre 1993 détester la mulâtraille et l'esprit mulâtre qu'il faudrait détruire au napalm – la Créolité étant, disait-il, une idéologie anti-mulâtre. L'avertissement de Ménil est d'autant plus important qu'il avait été lui-même, en son temps, un des artisans de la “bombe” *Légitime Défense*, lancée contre la bourgeoisie mulâtre que les surréalistes martiniquais considéraient toutefois dans sa dynamique de classe et non en tant qu'entité biologico-culturelle, non en tant que “génie” particulier.

Traqueur d'essentialismes, Christian Delacampagne dans *L'invention du racisme* retrace l'histoire des cagots. A la fin du Moyen-Age, le statut des cagots était défini par des règlements qui les confinaient en quartiers, dans certains métiers, et dans un système endogamique. Tenus de porter des vêtements distinctifs, ils étaient dispensés de quelques devoirs et de bon nombre de droits. Le mot, apparu au 16ème siècle, se maintient comme insulte dans les Pyrénées jusqu'au milieu du 20ème. Qui sont les cagots? les descendants des lépreux, les demi-lépreux ou faux-lépreux, reconnaissables, dit-on “à plusieurs signes équivoques et peu d'univoques”, quoiqu'ils aient parfois la mauvaise foi de refuser d'en porter les signes extérieurs, affirme Ambroise Paré qui leur prête en outre un tempérament félin et un furieux appétit sexuel. Lorsqu'à la fin du 16ème siècle la lèpre recule, lorsque le Parlement de Toulouse procède à des tests sanguins inconclusifs sur les cagots, d'autres théories apparaissent qui font remonter l'origine des cagots à un lépreux mythique – envahisseur Sarrazin ou Wisigoth, ou encore Giezi maudit dans la Bible par Elizée. C'est Louis XIV qui permet aux cagots de s'affranchir – moyennant finance. Bien après la découverte du bacille de Hansen qui établit en 1873 le caractère non héréditaire de la lèpre, quelques médecins continuent d'expliquer une dite morphologie cagote par une

---

[35] *Antilla*, no. 565, 24 décembre 1993, p. 41.

forme bénigne de lèpre. Aujourd'hui, le mythe cagot reste un sujet de recherches pour les historiens des mentalités comme Jacques Le Goff ou Claude Gaignebet.[36]

Alors, il se peut qu'à chercher Ariel, nous ne trouvions qu'un cagot; que nous butions sur l'impossibilité de dire le métissage collectif; que le métis se révèle n'être qu'une construction socio-discursive, comme le Juif sartrien, création de l'antisémitisme et de l'anti-antisémitisme; ou comme le Nègre fanonien, produit du regard dominant et de sa propre névrose. Mais est-ce la même différence? Ou y aurait-il un "autre de l'autre", comme le suggère Ronnie Scharfman à propos d'El Maleh?[37] Mais alors *qu'est-ce qu'est donc un métis? Et d'abord, c'est de quelle couleur ?*

Le métissage comme synthèse culturelle, plutôt qu'anomalie biologique ou produit de l'histoire coloniale, est l'idée-force d'un courant de pensée qui a gagné le terrain que l'essentialisme perdait. Elle est bien sûr au cœur de l'humanisme senghorien, avec comme antécédents théoriques les débats, lancés à Paris dans les années 30 sur la double appartenance – version française de la *double consciousness* de W.E.B. Dubois. Jane Nardal invente le concept d'afro-latinité pour concilier ses multiples allégeances culturelles, son amour du pays latin, pays d'adoption, et son amour de l'Afrique, pays des ancêtres, écrit-elle en substance dans la *Dépêche Africaine*.[38] Chez Senghor, le métissage culturel est d'abord une épistémologie qui permet de comprendre le développement organique des civilisations dans la Caraïbe, en Amérique latine, en Asie, et surtout dans l'Eurafrique méditerranéenne incarnée par Léon l'Africain, que Claude Liauzu décrit comme "un personnage d'avant la déchirure, circoncis, baptisé, allant d'une religion à l'autre, d'une culture

---

[36] Christian Delacampagne, *L'Invention du racisme. Antiquité et Moyen-Age* (Paris: Fayard, 1983), pp. 113-139.

[37] Ronnie Scharfman, "The Other's Other: The Maroccan Jewish Trajectory of Edmond Amran El Maleh", *Yale French Studies*, 82, 1, 1993, pp. 135-145.

[38] *Dépêche Africaine*, no. 1, février 1928, cité par Philippe Dewitte, *Les Mouvements nègres en France 1919-1939* (Paris: L'Harmattan, 1985), p. 232.

à l'autre, en y prenant son miel, en y trouvant sa liberté".[39] Mais c'est la France qui offre à Senghor le meilleur exemple "de ces peuples métis, les plus grands de l'histoire, dont le génie est de renaître périodiquement, sous les apports étrangers, en œuvres succulentes, merveilleusement particulières et libres."[40] Le métissage senghorien, c'est aussi le projet de bâtir la Civilisation de l'Universel, grâce à la complémentarité des raisons et à l'affinité des génies nationaux. Le métis, qui sera l'honnête homme ou l'honnête femme de cette civilisation future, est déjà le visionnaire inclassable d'aujourd'hui, fort de "son choix de ne pas choisir",[41] comme Chagall Asturias, ou Maurice Béjart, fils du philosophe Gaston Berger:

> Si... Gaston Berger a toujours répondu au double appel de la raison discursive et de la raison intuitive, c'est qu'il était conscient de sa double hérédité et que le métis entendait rester fidèle à ses deux origines... J'ai été frappé par une phrase de Maurice Béjart qui me précisait qu'il n'empruntait pas délibérément à la danse noire, mais que les œuvres de l'art nègre lui donnaient toujours une impression de déjà-vu. En somme, les images archétypales de la mémoire ancestrale.[42]

Derrida suggérait que les mots qui se prêtent le mieux à l'usure métaphorique sont ceux dont le préfixe négatif

---

[39] Claude Liauzu, "Les sociétés méditerranéennes entre cosmopolitisme, métissage et purification ethnique", texte non-publié.

[40] Léopold Sédar Senghor, "De la liberté de l'âme ou éloge du métissage", *Liberté 1, Négritude et Humanisme* (Paris: Seuil, 1964), pp. 98-103.

[41] Léopold Sédar Senghor, "Marc Chagall et l'art nègre", *Liberté 3, Négritude et Civilisation de l'Universel* (Paris: Seuil, 1977), p. 259.

[42] Discours à l'occasion de la pose de la première pierre de l'université Gaston Berger, Saint-Louis du Sénégal, janvier 1975, cité par Jean-Pierre Biondi, *Saint-Louis du Sénégal. Mémoires d'un métissage* (Paris: Denoël, 1987), pp. 205-208.

permet de rompre les amarres du sens établi.[43] *Métissage* pourrait être un de ceux-là, à cause de l'homophonie curieuse entre le phonème "mé", qui n'est en l'occurence qu'une demi-unité de sens, et le préfixe péjoratif "mé" (qu'on retrouve dans méprise ou mépris par exemple). Le métissage est en tous cas devenu la proposition-clé des théories qui privilégient le centrifuge et le différable – un satellite en quelque sorte des concepts bakhtiniens de dialogisme et d'hétéroglossie. Il permet de théoriser des recherches identitaires qui concilient en les déconstruisant le microcommunautaire et le transnational; le centre et la périphérie; le féminin et le masculin; le français de la métropole et celui de l'espace francophone; le textuel et l'individuel; le méta-récit et le contre-récit, etc. Le travail de Françoise Lionnet est représentatif, je crois, d'un courant qui veut remplacer le fonctionnement binaire de la pensée sur le modèle de l'informatique, par une activité créatrice calquée sur le *tissage*. Le métissage, pulsion de lecture et d'écriture – un peu comme la "jouissance" chez Hélène Cixous – est pour Françoise Lionnet le site de l'indéterminé où s'établissent de nouvelles solidarités féminines et un "bricolage" interdisciplinaire. Pour Michel Serres, est métis tout individu qui s'est donné la peine de naître, d'apprendre ou de voyager,[44] car les différences finissent par s'abolir dans la complémentarité du Tout devant Dieu. L'Arlequin, cette créature hermaphrodite, ambidextre et métisse qui hante le *Tiers-Instruit*, semble libérée de toute gravité historique, éclatée mais totale:

> Qui suis-je? Personne, absolument parlant... Rien, à la rigueur. Du blanc, de l'invisible, du candide et du transparent. Alors, tout... Rien, donc tout... Personne, donc tous. Blanc, donc toutes les valeurs... Voilà pourquoi j'ai pu et dû écrire ce livre: parce que l'apprentissage, dont

---

[43] *Marges de la Philosophie*, p. 252.

[44] Michel Serres, "Apprentissage, voyage, métissage", *Hommes et Migrations*, 1161, janvier 1993, pp. 6-9.

voilà le fondement, est l'essence blanche de l'hominité.[45]

Le métissage nouveau est donc arrivé, post-moderne et fédérateur tout à la fois! Faut-il rappeler avec Jean Benoist qu'il n'y a pas métissage sans perception populaire de la différence,[46] et j'ajouterais, sans convention terminologique et esthétique pour le saisir. Le corps devra donc se rappeler à l'attention de ceux qui veulent penser le métissage en transparence et abstraction. C'est la libération des couleurs par les Fauves, décidés, on s'en souvient, "à jeter un pot de couleurs à la figure du public" qui a mis sur toile et sur scène "l'or de leurs corps". C'est l'orphisme des Delaunay qui guide sur la page d'Apollinaire "...les Câpresses vagabondes/ Les Chabins [qui] chantent des airs à mourir aux Chabines marronnes".[47] Ce que Gauguin va chercher à Tahiti, ce que Paris découvre chez Joséphine Baker, "la divine mulâtresse", c'est la couleur générique de l'altérité et l'érotisme d'un corps qui présente les caractéristiques du Même et de l'Autre. Dans *Black Bodies, White Bodies*, Sander L. Gilman a démonté le mécanisme par lequel certains modèles artistiques, parce qu'ils concentrent et informent des stéréotypes,[48] déterminent notre perception du monde. L'importance de l'icône littéraire de la belle mulâtresse, lascive et vénale,[49] a fait l'objet d'une analyse particulière dans *Le Nègre romantique* de Léon François Hoffmann; les métamorphoses de cette icône, sa visualisation et sa diffusion par le biais de la

---

[45] Michel Serres, *Le Tiers-Instruit* (Paris: François Bourin, 1991), p. 234.

[46] Jean Benoist, "Le métissage: biologie d'un fait social, sociologie d'un fait biologique", *Métissages*, tome 2 (Paris: L'Harmattan, 1992), p. 16.

[47] Guillaume Apollinaire, "Les Fenêtres", *Calligrammes/Poems of War and Peace* (Berkeley: University of California Press, 1980), pp. 26-28.

[48] Sander L. Gilman, "Black Bodies, White Bodies: Toward an Iconography of Female Sexuality in Late Nineteenth-Century Art, Medecine, and Literature", in Henry Louis Gates, Jr, ed., *'Race', Writing, and Difference* (Chicago & London: Chicago University Press, 1986), pp. 223-261.

[49] Léon-François Hoffmann, *Le Nègre romantique. Personnage littéraire et obsession collective* (Paris: Payot, 1973), pp. 248-251.

carte postale coloniale[50] ont été étudiées par Emmanuelle Saada.

Soudain je songe à la turbulente compagne de Baudelaire, Jeanne Duval, claudicant dans les rues de Paris quelque temps après la mort du poète. Albatros sur béquilles entrevu en 1870 par Nadar qui ne s'arrête pas. Corps-palimpseste, caviardé sur le fameux tableau de Gustave Courbet, *Le studio du peintre*. Et si la chevelure et les parfums de Jeanne hantent la poésie française, que le lecteur soit averti:

> L'amour de la femme peut être infâme: ainsi Baudelaire resta toute sa vie attaché à Jeanne Duval, mulâtresse stupide, avide d'argent et de plaisir, et, enfin, alcoolique. L'amour peut être un effort de pureté, de délivrance, comme celui de Dante pour Béatrice, presque un mouvement vers Dieu: ainsi Baudelaire célébra Mme Sabatier...[51]

Même si Angela Carter, auteur de la nouvelle *Black Venus*, a vu en Baudelaire et Duval des *aerelistes*, des acrobates, des Ariel en somme, sans autre pays natal que leur(s) tempête(s)[52] – eh bien, à la suite d'Edouard Glissant, il faut quand même que "La damnation de ce mot: métissage, [nous] l'inscrivions énorme sur la page".[53] Ne serait-ce que pour mémoire de la blessure.

Ce colloque ne vise surtout pas à faire l'apologie du métis comme l'a fait Guy Hocquenghem dans son essai, *La Beauté du métis, reflexion d'un francophobe*; il s'agit plutôt de comprendre les diverses manières dont on a pu articuler une pluralité d'identités eurafricaines.

"J'aimerais être né d'une coïncidence," déclare

---

[50] Emmanuelle Saada, "Le poids des mots, la routine des photos", *Genèses* 21 (décembre 1995), pp. 134-147.

[51] Préface à Charles Baudelaire, *Les Fleurs du mal* (Paris: Classiques Larousse, 1973/1992), pp. 9-10.

[52] Angela Carter, *Black Venus* (London: Chatto & Windus, 1985/ Vintage, 1996), p. 10.

[53] Edouard Glissant, *Intention Poétique* (Paris: Seuil, 1969), p. 219.

Hocquenghem.[54] A mon sens, la coïncidence du métissage ne tient pas bien sûr à un adultère mélange des origines, mais à l'adéquation entre un piège sémantique, une tradition littéraire, juridique, scientifique, et une convention visuelle. Triple façon de confiner l'individu dans l'exceptionnalité. Il appartient à chacun d'habiter – tragiquement, ironiquement, poétiquement – la connaissance que l'on a de cette coïncidence, ou encore de s'en évader. La grande réussite du roman d'Henri Lopès, *Le Chercheur d'Afriques*, c'est d'avoir pu jouer sur tous ces registres, en parodiant de surcroît tous les grands poncifs sur le métis: sa quête du père perdu; sa rencontre incestueuse avec la demi-sœur, etc.

Mais la force du métissage, c'est, je crois, surtout à une période où toute différence semble bonne à revendiquer, de ne jamais se constituer en littérature, en discours ou en intégrisme hybridomane. C'est pourquoi elle m'intéresse, la note de Marie Ndiaye aux éditeurs de l'anthologie *Romancières africaines d'expression française, Le sud du Sahara*, publiée en 1994. Marie Ndiaye écrit ces lignes:

> Je me permets d'attirer votre attention sur un point qui me semble important; n'ayant jamais vécu en Afrique, et pratiquement pas connu mon père (je suis métisse), je ne puis être considérée comme une romancière francophone, c'est-à-dire une étrangère de langue française; aucune culture africaine ne m'a été transmise, je la connais, un peu, comme peuvent la connaître des personnes intéressées par toutes les formes de culture. Il me semblait important de le préciser, ne sachant si vous étudiez également des romancières aussi superficiellement africaines que je le suis.[55]

En lisant ces lignes inorthodoxes pour la saison, j'ai envie de dire: "Tiens, moi aussi, *entre parenthèses*, je suis métisse". Et

---

[54] Guy Hocquenghem, *La Beauté du métis. Reflexion d'un francophobe* (Paris: Ramsay, 1979), p. 17.

[55] Beverley Ormerod et Jean-Marie Volet, *Romancières africaines d'expression francaise. Le Sud du Sahara* (Paris: L'Harmattan, 1994), p. 111.

cela ne m'engage absolument à rien. Cela ne me dispense pas non plus de penser le particulier et l'universel, non pas dans l'absolu mais en chacun de nous, dans ce que Taguieff appelle "les figures historico-culturelles de leur incarnation".[56] Cela ne me dispense pas non plus de me prononcer pour quelques principes – liberté, égalité par exemple – et surtout quand et là où ils sont mis à mal. Je veux, en détournant une phrase de Kwame Anthony Appiah, lui rendre hommage. Je concluerai donc en avançant qu'en dépit ou en raison de la complexité identitaire de notre monde, "il est bon de se rappeler qu'il y a des temps où le *métissage* n'est pas la bannière dont nous avons besoin".[57]

A la réflexion, certains d'entre nous seront peut-être tentés de dire comme Roussel, approchant des côtes de l'Inde, "C'est ça, l'Inde? Retournons." Mais je vous invite à prendre connaissance des reflexions de nos collaborateurs.

---

[56] Pierre-André Taguieff, *La Force du préjugé*, p. 486.

[57] Kwame Anthony Appiah, *In My Father's House. Africa in the Philosophy of Culture* (Oxford & New York: Oxford University Press, 1992), p. 180.

BLACK, BLANC, BEUR
OU LE FANTASME DU METISSAGE

Jean-Loup Amselle

Les réflexions qui suivent s'inspirent du récent battage médiatique consécutif à la victoire de l'équipe de France lors de la dernière Coupe du Monde de foot-ball. A cette occasion, la presse écrite, radiophonique et télévisée tant française qu'internationale n'a pas manqué de célébrer le caractère multicolore de notre équipe nationale – black, blanc, beur – rejouant dans sa version positive le vieux scénario d'une France métissée occupant la Ruhr de l'après première guerre mondiale avec ses tirailleurs sénégalais et s'opposant ainsi à une Allemagne racialement pure. La presse allemande n'a-t-elle pas été jusqu'à recommander à ses sélectionneurs nationaux, pour revenir sur le devant de la scène, de recourir à des joueurs d'origine turque, ce qui aurait pour effet d'atténuer le caractère un peu trop "blond" de l'équipe germanique de foot-ball?

En célébrant la victoire du multicolorisme ou du métissage sur le racisme de la pureté incarné par Le Pen, et en proposant de remplacer le caractère tricolore de notre drapeau par un symbole multi-racial, les médias tant français qu'internationaux ont rendu un bien mauvais service à la société française. En mettant en exergue le caractère composite de la population de notre pays, c'est-à-dire en recourant aux idées polygénistes, ils n'ont fait que réitérer de façon symétrique et inverse le modèle propagé par le Front national. Il faudrait en effet être bien naïf pour croire que Le Pen n'est pas disposé à admettre que les Blacks et les Beurs sont physiquement supérieurs aux Blancs puisque tout son propos consiste précisément à montrer que les Blancs sont intellectuellement supérieurs aux autres races. Et l'on voudrait postuler ici que toute mise en avant de l'origine, qu'elle soit une ou multiple, a pour effet de renforcer la croyance en la ou les race(s).

Une France métissée?

L'idée d'une France métissée n'est pas nouvelle, elle remonte à l'Ancien Régime qui insistait sur la dualité du peuplement national et en faisait un objet de débat entre aristocrates, royalistes et républicains. A travers la discussion sur les rapports d'évitement ou de fusion entre les Francs, ancêtres de la noblesse, et les Gaulois, ancêtres du Tiers Etat, s'exprimaient les différentes conceptions des acteurs politiques. A cet égard, on aurait tort de croire que la Révolution française s'est traduite seulement par la victoire des Droits de l'Homme sur la tyrannie, celle-ci s'est en effet inscrite avant tout dans un cadre raciologique, celui de la suprématie du Tiers Etat descendant des Gaulois sur la noblesse ayant les Francs pour origine. Ainsi lorque l'on met en avant les mérites du modèle républicain, il ne faut jamais oublier que la République a toujours fait bon ménage avec la Race et que les idées d'assimilation, d'intégration et d'insertion sont indissociables d'un contexte raciologique, c'est-à-dire d'une approche fusionnelle des différents segments de la population. La position républicaine repose ainsi sur le postulat de la fusion entre les Francs et les Gaulois et donc de l'unité raciologique du corps national. De même l'émancipation des Juifs – leur "régénération" – n'est-elle conçue, dans le long terme, par l'abbé Grégoire que dans le cadre de la fusion organique des Juifs dans le corps national par le mariage avec des non-Juifs ou des non-Juives.[1]

A ce binarisme social qui a hanté le 18ème et le 19ème siècles et qui continue d'habiter notre espace intellectuel sous la forme de l'opposition en vigueur dans nos "quartiers difficiles" ou nos "zones sensibles" entre les Beurs et les Gaulois, vient s'ajouter à partir du 19ème siècle, ainsi que l'a montré Foucault,[2] un nouveau modèle de découpage de la population en une série de strates ou de stocks. A

---

[1] Abbé Grégoire, *Essai sur la régénération physique, morale et politique des Juifs* (1788) (Paris: Stock, 1988).

[2] M. Foucault, *Il faut défendre la société* (Paris: Gallimard-Le Seuil, 1997). Voir à ce sujet notre compte-rendu "Michel Foucault et la guerre des races", *Critique*, 606, 1997, pp. 787-800.

travers l'établissement de tables de natalité, de mortalité ou de statistiques de maladie se met en place toute une série de nouvelles disciplines: épidémiologie, démographie, etc... Cette nouvelle répartition raciologique de la population, liée elle-même en partie au développement du modèle assuranciel met en cause la fiction juridique de l'individu du droit naturel qui se trouverait seul face à l'Etat. En ce sens, c'est toute la philosophie politique, et notamment celle de Rousseau qui s'écroule dans la mesure où celle-ci n'admet l'existence d'aucun corps intermédiaire entre la "volonté générale" et l'Etat. Loin d'être une caractéristique du régime de Vichy, le découpage de la population française en différentes composantes n'a cessé de pousser les théoriciens du social à s'interroger sur leur nécessaire agrégat (*cf.* la "solidarité organique" de Durkheim et sa hantise de l' "anomie") de même qu'il explique ou qu'il accompagne l'essor des réflexions de type démographique ou autres sur l'assimilation ou l'intégration.

La primauté de l'approche démographique, notamment en matière d'immigration, a conduit à opposer deux grandes phases dans l'histoire de la population française: une phase d'"immigration de qualité" à laquelle aurait succédé une "immigration de quantité"[3] à la fin du 19ème siècle. Il en résulte qu'avant le 20ème siècle, la population française, n'ayant fait l'objet d'aucun métissage, aurait été relativement pure au point que certains démographes voient dans les Français du début du 20ème siècle les descendants des Indo-Européens qui occupaient le sol national au paléolithique.[4] Selon cette perspective démographique très proche des thèses du Front national, les problèmes du métissage, c'est à dire de l'assimilation, de l'intégration ou de l'absorption de populations étrangères n'apparaissent qu'au 20ème siècle lorsqu'arrive une "immigration de quantité", ce qui tend à prouver que pour penser la question du métissage, il faut postuler une pureté première. Ce dernier concept dont la

---

[3] G. Mauco, *Les Etrangers en France* (Paris: Armand Colin, 1932).

[4] J. Dupâquier, "La démographie française: vérités et mensonge", *National hebdo*, 4 septembre 1997, p. 14.

géométrie est variable permet donc de déplacer le curseur sur l'axe allant des populations assimilables aux populations inassimilables : les Polonais qui sont aujourd'hui assimilés, étaient considérés comme inassimilables dans les années 1920 ou 1930. Aujourd'hui d'autres groupes – les Maghrébins, les Africains, les Tsiganes – ont pris la place, mais ce qui importe ici, c'est la permanence de la bi-partition entre population pure et population étrangère, au-delà de la prise en considération des groupes considérés. Pour que puisse être pensée la question de l'assimilation, il faut supposer au départ des groupes radicalement différents et donc des essences, ce qui prouve encore que la question du métissage est inséparable d'une problématique des substances.

Les avatars de la pureté et du mélange

A ce thème de la pureté et du mélange sont liées cinq autres questions: celle des quotas, celle de la mesure de l'intégration, celle des mariages dits mixtes, celle du génocide et enfin celle de la discrimination positive.

Si la question des quotas d'immigrants est de nouveau à l'ordre du jour non seulement à droite mais également à gauche alors que l'on aurait pu penser que cette approche avait été définitivement abandonnée à l'issue de la deuxième guerre mondiale, c'est parce que la problématique ethnique, c'est-à-dire culturaliste, en matière d'immigration a refait surface et que l'on estime de nouveau, dans les sphères gouvernementales que certaines populations sont plus assimilables que d'autres.

Les quotas supposent en effet des classifications et également des jugements d'imputation relatifs à telle ou telle population. A cet égard, la mesure de l'intégration, c'est-à-dire en fait la mesure du métissage ou du mélange des sangs, repose sur la constitution de catégories telles que "Français de souche" opposées aux "allochtones", qui correspondent à la vieille opposition de la démographie entre stocks et flux de population et donc entre population fixe et population mobile, entre sédentaires et migrants, etc.. A travers l'utilisation d'enquêtes et de procédures statistiques extrêmement élaborées se met donc en place une représentation de la société française opposant un stock de population premier et clos sur lui-même à un flux de populations étrangères, ce qui n'est pas très éloigné du thème de l'"immigration-invasion" développé par le Front national.[5]

Cette approche qui relève d'une problématique raciologique et polygéniste a été justement critiquée par Hervé Le Bras. Dans un livre récent,[6] il montre bien que le critère de la mesure de l'intégration à l'aune des concepts de "Français de souche" ou d'"allochtones" ou de tout autre catégorie à connotation ethnique (Mandés par exemple[7]) a pour effet de laisser dans l'ombre les métissages antérieurs. Pour Le Bras, et en ceci il a parfaitement raison, il n'existe pas de "Français de souche" car tout Français est déjà métissé. Les métissages n'opèrent donc que sur des produits résultant de métissages antérieurs renvoyant ainsi à l'infini l'idée d'une pureté originaire. Cependant cette idée de métissages antérieurs a l'inconvénient de reprendre le vieux thème du mélange des sangs ou du croisement de la zootechnie, thème qui a été lui-même infirmé par les découvertes de la génétique mendelienne. Celle-ci, qui raisonne à partir de lignées isolées se reproduisant par auto-fécondation est d'ailleurs inapplicable à l'homme[8] mais elle est sans doute à l'origine du choix de l'isolat matrimonial comme objet de prédilection des démographes. En outre, l'identité génétique d'un individu ne résulte pas du mélange ou du croisement de l'identité génétique de son père et de celle de sa mère, de sorte que du point de vue de la génétique

---

[5] cf. Michèle Tribalat, *Faire France, une enquête sur les immigrés et leurs enfants* (Paris, La Découverte, 1995).

[6] cf. Hervé Le Bras, *Le Démon des origines, démographie et extrême droite* (La Tour d'Aigues: L'Aube, 1998).

[7] Sur le caractère colonial de la notion de Mandé, voir nos *Logiques métisses, Anthropologie de l'identité en Afrique et ailleurs* (Paris: Payot, 1990).

[8] cf. L'article "Génétique" in *Encyclopaedia Universalis*. Seuls les généticiens nazis ont tenté d'appliquer les principes dégagés par Mendel à des groupes humains.

moderne la notion de métis et celle de race qui lui est liée est un non-sens. En fait, cette notion de métissage n'a d'intérêt que comme antidote à celle de race: ce n'est qu'en voyant dans le métissage une métaphore excluant toute problématique de la pureté et du mélange des sangs et donc en en faisant un axiome postulant une indistinction originaire qu'on peut, à la rigueur, conserver ce terme.[9]

La notion de mariage mixte, qui a fait l'objet d'amples recherches est également porteuse de nombreuses ambiguïtés dans la mesure où elle véhicule une représentation de la société elle-même liée à une problématique raciologique. Pour construire la notion de mariage mixte, il est en effet nécessaire de disposer de catégories telles que celles de Français et étranger, Français et Noir, ou Français et Maghrébin, c'est-à-dire de catégories pures qui sont en dernière analyse des catégories ethniques ou raciales. Tout mariage en effet, est d'une certaine façon mixte, puisqu'il unit des individus génétiquement différents et il n'est pas nécessaire d'être issu de l'union d'un Français et d'une étrangère, ou d'un étranger et d'une Française, pour se voir accuser d'être un métis, ainsi qu'en témoigne la polémique entre Gide et Barrès, ce dernier accusant l'auteur des *Nourritures terrestres* d'être un métis puisqu'il était issu de parents originaires de différentes provinces françaises.

Plutôt que de se pencher sur la réalité des phénomènes de métissage ou d'unions mixtes, il serait préférable de s'interroger sur l'usage social et contextuel de ces notions à l'époque contemporaine, c'est-à-dire sur leur fonctionnement comme représentations du social. A cet égard, la prolifération du concept de métissage à l'heure actuelle, dans le domaine médiatique, artistique, littéraire et culturel, renvoie sans doute au caractère contradictoire de ce que l'on nomme le processus de globalisation. Si d'un certain point de vue la mondialisation engendre le mélange des cultures (world music etc..), elle n'entraîne pas pour autant l'uniformisation ou l'affadissement des différentes traditions. Tout au contraire, l'époque actuelle, sous l'action des Etats

[9] *Logiques métisses*, op. cit.

ou des organisations internationales, paraît être marquée par un durcissement des identités,[10] ce double phénomène redonnant une vigueur accrue aux notions d'origine, de race et de greffe inter-raciale.

Les théoriciens de la globalisation, qui s'appuient implicitement sur le modèle génétique de la pan-mixie, ont tendance à minorer les phénomènes anciens de compénétration culturelle et à exagérer le métissage ou la créolisation actuels. En réalité les identités culturelles et ethniques contemporaines ne prennent tout leur sens que dans le cadre de la mondialisation. C'est en effet au sein de la compétition pour la reconnaissance identitaire que se mettent en place les différentes stratégies des acteurs. A cet égard, le modèle de la Shoah, c'est-à-dire d'une vision sacralisée de l'histoire des Juifs joue le rôle d'étalon des identités contemporaines. L'invention, en 1944 par le juriste Lemkin[11] du concept de génocide, c'est-à-dire d'une notion désignant la destruction d'un groupe "en tant que tel" a eu l'effet paradoxal de signaler et en même temps d'occulter la problématique constructiviste des groupes, qu'il s'agisse de peuples ou de classes sociales. Le processus de destruction de groupes entiers exige en effet leur construction préalable et c'est à cette redoutable tâche qu'ont été confrontés les Nazis avant la deuxième guerre mondiale. Toute entreprise de délimitation d'un groupe quel qu'il soit suppose en effet que soit résolue la question des restes, c'est-à-dire des métis et l'on sait que les Nazis, en raison de leur perspective raciologique, ne sont jamais venus à bout de ce problème, ce qui ne les a d'ailleurs pas empêché d'exterminer plusieurs

---

[10] Pour le cas de la France, voir J.-L. Amselle, *Vers un multiculturalisme français, l'empire de la* coutume (Paris: Aubier, 1996). Sur le façonnement des revendications des groupes en termes ethniques par les organisations internationales voir. S. Nonnenmacher, *La question autochtone dans le système des Nations-Unies, une approche anthropologique*, mémoire de DEA d'anthropologie, EHESS, 1997.

[11] R. Lemkin, *Axis Rule in Occupied Europe. Laws of Occupation. Analysis of Government. Proposals for Redress*, Carnegie Endowment for International Peace, 1944.

millions d'individus.[12] Mais précisément l'arbitraire des groupes constitués -- Juifs, Tsiganes, homosexuels, malades mentaux – aurait dû signaler le processus constructiviste à l'œuvre au sein même de l'entreprise génocidaire. Bien que cela puisse paraître une affirmation scandaleuse, il est en effet évident que le génocide a pour effet de constituer en tant que tel le groupe même qu'il s'acharne à détruire et qu'il donne en particulier au groupe des survivants une consistance qu'il n'aurait jamais eu sans cela. Le génocide, de par les procédures qu'il met en œuvre – sélection des "éligibles", élimination des "inéligibles", hésitation sur la question des métis – est donc le paradigme identitaire le plus efficace de notre époque. C'est en effet à l'aune du génocide ou du judéocide que se fixe aujourd'hui le cours des différentes identités contemporaines. Dans le cadre du modèle de la "concurrence des victimes",[13] toute une série de groupes emboîte en effet le pas aux Juifs et de ce point de vue il est vain de s'interroger sur la question du mérite respectif de ces différents groupes à "bénéficier" des réparations consenties aux victimes de génocides. Puisqu'il s'agit de groupes construits, tous les groupes - qu'il s'agisse des Arméniens, des Cambodgiens, des Tutsis, des Hutus, des Indiens d'Amérique, des descendants d'esclaves africains déportés aux Amériques ou des Chouans - ont le droit d'utiliser le label de génocide pour désigner l'extermination qu'ils ont subie et pour faire valoir leurs demandes de réparation. Mais ce qu'il faut bien voir, c'est que la généralisation du modèle du génocide a pour effet de racialiser l'espace conceptuel à l'intérieur duquel se pensent et se construisent les différents groupes et donc les conflits qui les opposent. Ce n'est pas un hasard, si la moindre guerre civile africaine, laquelle n'a pas forcément une connotation ethnique, voit se déployer la notion de

---

[12] Voir à ce sujet, R. Hilberg, *La Destruction des Juifs d'Europe* (Paris: Fayard, 1988). L'un des "généticiens" nazis les plus connus, E. Fischer a d'ailleurs consacré l'une de ses premières recherches aux métis du sud-ouest africain (Namibie actuelle), *Les Bâtards de Rehoboth et le problème de la bâtardisation chez l'homme* (1913).

[13] J.-M. Chaumont, *La Concurrence des victimes, génocide, identité, reconnaissance* (Paris: La Découverte, 1997).

génocide et si Le Pen fait référence au génocide du peuple français à propos de l'immigration. La banalisation de ce concept conduit même certains à voir dans le processus d'absorption des Juifs français dans la culture de leur pays une forme atténuée de génocide ou d'ethnocide.

Comme on peut le constater génocide et métissage sont des notions intimement liées en ce qu'elles apparaissent toutes deux étroitement associées à une problématique raciologique. Pour Gobineau, les Nazis ou les différents fondamentalismes, le métissage équivaut au génocide dans la mesure où il signifie l'abâtardissement ou la dégénération de la race dominante. Pour les partisans du métissage en revanche, le croisement des races ou des cultures permet la régénération des différentes variétés de l'espèce humaine. Mais comment ne pas être sensible au fait que la régénération et la dégénération ne sont que les deux aspects complémentaires d'une même problématique?

Vers un multiculturalisme français

Pour en revenir au contexte français, les problèmes qui sont agités sur la scène politico-médiatique en matière d'immigration sont précisément liés à la prévalence du modèle raciologico-culturel et de son corollaire: la thématique du métissage. Qu'il s'agisse de préserver l'identité culturelle des groupes – celle des Maghrébins, des Africains, des Chinois ou des Turcs – ou de les faire fusionner avec la population française, il est nécessaire de définir ces groupes au préalable et donc de les construire en tant que tels. En participant à l'élaboration d'un modèle d'une France multiculturelle, les partisans comme les adversaires du métissage ont en commun de vouloir faire exister ces groupes en tant que tels, faisant de la nomination de ces groupes une partie intégrante de leur devenir. En suspendant la question de l'existence de ces groupes, on permet aux acteurs d'opérer les choix d'identification qui leur conviennent en leur laissant, en particulier, la possibilité de ne pas choisir. A cet égard, le vote récent des Hispaniques de Californie contre le bilinguisme dans l'enseignement montre bien que le choix des minorités ethniques ou culturelles ne va pas forcément dans le sens de la culture d'origine – celle qui est spontanément valorisée par les partisans du multiculturalisme – mais qu'il peut être orienté vers la culture de la société d'accueil. Le droit des minorités, c'est aussi celui de renoncer à leur culture et il ne faudrait pas que les dominants aient la possibilité de choisir, à leur place, le type de culture ou de langue qui est censé leur convenir.

Le renoncement à la classification des groupes implique du même coup l'abandon de l'idée même de discrimination positive. Celle-ci nécessite en effet pour résoudre, par exemple, le problème du racisme dans l'embauche, l'identification de groupes, ce qui, prétendent ses défenseurs, est impossible dans un cadre républicain strict ne reconnaissant d'existence qu'aux individus. Mais la discrimination positive, en construisant des groupes black, beur ou homosexuel pour les besoins de la cause, ne crée-t-elle pas autant de problèmes qu'elle prétend en résoudre. Il n'existe pas d'individus abstraits, nous disent les partisans de cette politique bien intentionnée, mais la constitution d'individus enracinés, fût-ce de façon multiple, n'est-elle pas l'adjuvant majeur du racisme ?

La multiplication par l'Etat des ethnies au sein de la société française ne résoudra aucunement le racisme car elle mettra au contraire en relief les tares du modèle français d'assimilation qui, comme on l'a déjà vu, repose sur une base raciologique. En effet, ce n'est pas le modèle républicain qui s'oppose à la résolution du racisme dans notre pays, ce sont ses insuffisances mêmes, son incapacité à être républicain jusqu'au bout, c'est-à-dire universel, qui l'empêchent d'exercer pleinement son devoir d'hospitalité et d'équité. En laissant à chaque individu sa libre disposition identitaire, c'est-à-dire en renonçant à assigner à un individu quelconque une identité donnée, quand bien même celle-ci serait métisse, on renoncera à classer les individus présents sur le territoire national en Français, étrangers, descendants d'étrangers nés sur le territoire national, immigrés de deuxième génération, toutes catégories qui n'ont pour fonction que d'entériner les catégories raciologiques sous-jacentes à la démographie.[14]

Toute tentative d'identifier des groupes et de mesurer leur mélange a pour effet de contrer les processus naturels d'ajustement des différences qui précisément s'effectuent parce que les différences entre les acteurs ne sont pas perçues par ces derniers en termes absolus. Mais l'ambiguïté du modèle républicain, c'est aussi la dualité des droits de l'homme et du citoyen, qui est aussi celle d'une contradiction dans les termes, celle de l'idée d'une République française. Comment penser l'égalité dans le cadre d'une Nation et restreindre cette dernière à ses seuls citoyens?

Autre insuffisance du modèle républicain français, celle du caractère catholique inavoué de nos institutions, qui rend insoluble la question des jours chômés, celle de l'éducation, et celle de la tenue vestimentaire dans les établissements publics. Pour imposer un jour chômé à l'ensemble des représentants des religions présentes sur le sol français, il aurait fallu que celui qui a été retenu soit neutre, or le dimanche est intrinsèquement lié à la religion catholique. De même la question du foulard ou du repas sans viande de porc ne saurait être résolue que dans le cadre du financement par l'Etat français d'écoles confessionnelles musulmanes, à l'image de ce qui est pratiqué avec l'enseignement catholique. Mais la pratique de l'Etat français qui finance à la fois des écoles laïques et seulement certaines écoles confessionnelles, celles de l'enseignement catholique, est difficile à défendre. Contraint de se justifier sur le terrain d'une laïcité bien mise à mal par l'offensive constante que les catholiques mènent contre ce qui subsiste de la séparation de l'Eglise et de l'Etat, les autorités de notre pays sont placées dans une position de faiblesse face à l'offensive multiculturaliste de gauche axée sur le thème du métissage. En somme, le modèle républicain aurait failli par défaut et non pas par excès.

Une politique sociale plus active de résorption des inégalités, plutôt qu'une politique multiculturelle, serait-elle à même de résoudre le problème du racisme dans notre pays? L'expérience de la défunte Union soviétique devrait là encore

---

[14] Cf. sur ce point H. Le Bras *op. cit.*

nous inciter à la prudence. Les politiques de discrimination positive qui ont été mises en œuvre après la Révolution de 1917, en direction du prolétariat n'ont fait qu'ériger cette classe en une sorte de race, ce qui est le travers de toutes les sociologies positivistes, celle de Bourdieu par exemple. En créant des groupes *ad hoc* que l'on s'emploie ensuite à favoriser, on rend les institutions scolaires ou autres ingérables; les seuls systèmes viables, mêmes s'ils sont imparfaits, sont ceux qui visent à la mixité sociale, à l'instar des politiques de *busing* pratiquées aux Etats-Unis dans les années 1960. Toute politique de découpage ou de zonage de quartiers difficiles ou de zones d'éducation prioritaire ne peut que contribuer à renforcer des poches de handicaps, ou d'exclusion positive, en somme à exhiber la différence. Faire disparaître les frontières et les barrières entre les groupes en les mixant socialement, tel paraît être le seul moyen de contrer la racialisation à l'œuvre dans le cadre de la globalisation.

METISSAGE ET CREOLISATION

Edouard Glissant

J'appelle *lieu commun*, non pas une vérité d'évidence, une banalité, mais littéralement le lieu où une pensée du monde rejoint une pensée du monde. Nous partageons ces lieux communs. Nous disons tous à peu près les mêmes choses, avec notre style, notre génie particulier bien sûr, mais nous tournons tous autour des mêmes questions.

Ainsi la question du métissage. Dans la littérature traditionnelle, vous le savez, le métis est un personnage bâtard. Il ne sait pas où il se trouve, il est renié des deux bords de sa naissance; il est en général assez fourbe et cauteleux, et de toute manière, il constitue une classe, une caste à part. Autre lieu commun, mais que cette fois nous pourrions contester: on dit que les cultures occidentales ont connu des formes de métissage, et c'est vrai qu'elles ne sont pas monolithiques. Si nous pensons par exemple à la Grèce pré-socratique, il est certain que là, dans cet univers un peu archaïque de l'archipel grec, nous trouvons des éléments réels, non contestables, de métissage culturel.

Mais ce que je voudrais développer maintenant, c'est que cette question du métissage reste jusqu'aujourd'hui le signe tragique de la rencontre entre deux cultures que je qualifierai de la façon suivante. Il y a les *cultures ataviques* qui conçoivent l'être comme uniment relié à une communauté, elle-même uniment reliée à une sorte de vocation primordiale, en général signifiée et illustrée par un mythe de création du monde, par une genèse, allouée ou dictée par un dieu souverain. D'une manière tout à fait générique, on peut dire que, par le biais de ce mythe de création, les cultures ataviques tendraient plutôt à concevoir un dieu et un seul: elles sont monothéistes. Il y a bien sûr des exceptions. Les cultures de l'Afrique sub-saharienne sont des cultures ataviques mais qui ne sont pas monothéistes. Les cultures amérindiennes, aztèques ou incas, sont des cultures ataviques, mais qui ne sont pas monothéistes. Il serait intéressant d'aller au fond de la question et de voir les différences que cela implique. Quoiqu'il en soit, un mythe de création du monde, une genèse sont au principe de la vocation des cultures ataviques. La dérivée ultime en est une conception, elle aussi souveraine, de la langue et de la littérature, toutes deux dérivées de la dictée du dieu.

Or, les cultures ataviques de l'Occident se sont répandues sur le monde. Ce sont ces cultures-là qui ont donné naissance au grand phénomène de la colonisation qui a, par contre-coup, réalisé ce qu'on pourrait appeler la *totalité-monde*, dans laquelle nous vivons aujourd'hui. A l'opposé de ces cultures ataviques, je poserai le principe de ce que j'appelle des *cultures composites*. Elles sont nées de l'action par laquelle, sous l'emprise générale de la colonisation du monde par l'Occident, des cultures hétérogènes, soit dominantes, soit dominées, sont entrées en phase de synthèse et ont enfanté une nouvelle sorte de réalité. La neo-América (la Caraïbe, le Brésil, par exemple) est l'exemple même des cultures composites dans les Amériques. Car nous avons vu qu'il y avait, dans ces Amériques, des cultures ataviques, comme les cultures amérindiennes, et puis il y a des cultures qu'on appelle euro-américaines, qui héritent et refont le mythe de la création du monde sans l'avoir généré ni suscité par elles-mêmes. C'est que la culture composite ne conçoit pas d'elle-même une création du monde, puisqu'elle est un produit de l'histoire des hommes. Elle ignore la parole mythique, y substituant les accents généralement corrosifs du conte, et la littérature n'y remonte pas à une source linguistique irréfutable qui serait la dictée du dieu. Dans les Amériques donc, les nations américaines au nord, du Chiapas au Mexique ou des peuples Quetchua au Pérou, sont des exemples de cultures ataviques. On voit que ces cultures ataviques, même dans le contexte des Amériques, sont dominées et opprimées par la constitution même de ce que j'appelle les cultures composites, au Chiapas par exemple, ou dans les pays Quetchua, au sud, au Pérou. La réalisation de la totalité-monde fait que les cultures ataviques et les cultures composites, aujourd'hui, échangent leurs possibles, mais aussi leurs impossibles: ainsi, les cultures ataviques tendent-elles à se décomposer sous l'action de la totalité-monde. Car, tant que la totalité-monde n'était pas réalisée, ces cultures ataviques avaient le loisir de se projeter, c'est à dire d'aller à la découverte physiquement et géographiquement, ou bien scientifiquement, en partant à la découverte de la connaissance.

Mais aujourd'hui qu'il n'y a plus de terres inconnues sur les cartes, la tendance, la pulsion culturelle ne portent plus à la découverte, mais à l'enjeu de la relation. C'est à dire que les cultures ataviques, même dans leur lieu d'origine, en Europe par exemple, tendent à se décomposer, à devenir composites, et à emprunter aux cultures composites les plus spectaculaires de leurs moyens et de leurs composantes. Mais, par un mouvement inverse, les cultures composites tendent à une sorte de nostalgie de la réalité atavique, c'est-à-dire qu'elles tendent à revendiquer une légitimation de leurs données d'existence. Dans le chaos-monde actuel, cela se manifeste de beaucoup de manières. Par exemple, les sectes qui se multiplient, sur toute la surface de la terre, entreprennent des sortes de synthèses anarchiques et folles de tous les systèmes de mythe et de création du monde possibles, en les mettant ensemble et en essayant de voir ce qu'on peut en tirer.

Dans ce contexte, le métissage n'apparaît plus comme une donnée maudite de l'être, mais de plus en plus comme une source possible de richesses et de disponibilités. Mais je crois qu'à mesure que le métissage se généralise, c'est la catégorie du métis qui, elle, tombe. Il ne me paraît pas qu'aujourd'hui, sauf en certains points très particuliers, on puisse encore parler de castes, de classes ou de catégories de métis, précisément pour la raison que le métissage s'est généralisé. Et l'enjeu, désormais mondial, entre cultures ataviques et cultures composites, fait que nous commençons à imaginer d'autres formes et d'autres modes de l'identité. Mais il faut observer, à ce moment de notre reflexion, que le métissage – on l'a dit ce matin, on peut le redire: nous échangeons nos *lieux communs* – peut être envisagé comme une mécanique. Ce que j'appelle *créolisation* va plus loin. J'appelle créolisation cet enjeu entre les cultures du monde, ces conflits, ces luttes, ces harmonies, ces disharmonies, ces entremêlements, ces rejets, cette répulsion, cette attraction entre toutes les cultures du monde. Bref, un métissage, mais avec une résultante qui va plus loin et qui est imprévisible. Oui, la créolisation, c'est bien le métissage des cultures avec une résultante qui va plus loin que les données d'origine. J'ai appelé ce phénomène créolisation, bien sûr à cause des langues créoles. Ma définition de la langue créole (qu'il s'agisse des créoles francophones de la Caraïbe, comme en Haïti, en Martinique ou en Guadeloupe, que ce soit le papiamento, le créole du Cap-Vert ou les créoles de l'Océan Indien), c'est une langue dont les éléments syntaxiques ou lexicaux proviennent d'aires et de zones linguistiques absolument différenciées, avec une résultante qui est imprévisible, qui est la résultante de la formation de cette nouvelle langue. Par conséquent, pour moi, le créole n'est ni un patois, ni un dialecte, et je crois que tout le monde s'accorde aujourd'hui là-dessus, y compris les linguistes. C'est une synthèse d'éléments différents, divergents, venus de zones culturelles différentes, et qui produit une résultante inouïe et imprévisible. Il était inouï et imprévisible que les esclaves déportés dans les îles des Antilles aient pu – après une telle table rase de leurs coutumes, de leurs langages, de leurs cultures – réinventer par la trace et la mémoire, mais aussi avec quelque chose qui s'ajoute, cette langue ou ces langues créoles. Il était tout à fait inouï et imprévisible que les esclaves déportés aux Amériques, en Amérique du Nord en particulier, aient pu produire cette résultante inouïe qu'a été la musique de jazz, à partir de la trace africaine originelle. La créolisation est donc pour moi un phénomène qui se forme et se fixe sur le modèle de formation et de fixation des langues créoles (j'ajoute tout de suite qu'il s'agit là d'un processus et que les langues créoles n'ont pas à en tirer vanité ni satisfaction de soi). Si la créolisation est la résultante – pas la synthèse: les synthèses sont ennuyeuses, comme disait Victor Segalen – d'éléments culturels venus d'ailleurs et qui sont hétérogènes les uns par rapport aux autres, elle suppose absolument une identité maintenue des deux bords de la naissance de ces cultures métissées. La créolisation n'est pas un embrouillamini, ce n'est pas une suspension en l'air: je refuse donc pour elle le principe de neutralité. Il y a donc identité maintenue, mais c'est une identité ouverte, c'est à dire que la créolisation n'est pas un *apartheid*. Aujourd'hui, le monde entier se créolise parce que le monde entier est dans cette dynamique où, n'ayant plus de terres à découvrir, les cultures ataviques découvrent l'enjeu de l'apposition et de l'opposition à des cultures composites.

Ce qui est beau dans la créolisation, c'est qu'elle est imprévisible. Nous ne pouvons pas prévoir, à partir de telle ou telle donnée d'existence d'une réalité ou d'une communauté, qu'il va se produire ceci ou cela. Par exemple, je suis fasciné par l'apposition en Floride de populations hispanophones et anglophones. Qu'est-ce que cela va produire? Personne ne peut le dire. On ne peut pas dire si ce sera un créole anglo-espagnol, si ce sera la domination de l'espagnol sur l'anglais, ou vice-versa. La Floride, c'est une terre de créolisation où on ne peut rien prévoir, et ne pas pouvoir prévoir, c'est ce qui est beau dans la créolisation, c'est ce qui est beau dans le monde à l'heure actuelle. On doit renoncer à tirer des plans sur la comète, renoncer à mettre l'histoire des humanités en plans. On doit renoncer aux plans quinquenaux, on doit renoncer à tout ce qui faisait l'orgueil, la vanité et le caractère mortel des pensées de système. Nous sommes tous dans le chaos-monde: le chaos-monde, ce n'est pas un désordre, c'est un imprévisible, et nous devons changer nos imaginaires en fonction de cela. Par exemple, la créolisation crée, dans les Amériques et dans le monde, des multitudes de micro-climats culturels et linguistiques dont nous n'avons aucune idée. Nous découvrons jour après jour que, en tel endroit, il se passe quelque chose de nouveau, qu'une langue s'est manifestée dans ses rapports avec une autre langue; qu'il y a un langage de rue des enfants de Dakar ou de Sao Paulo ou de Rio; que ça bouscule la langue espagnole, etc...; nous découvrons tous les jours ces sortes de micro-climats linguistiques et culturels qui échappent absolument à tout esprit de mise en plan, et qui nous ravissent en extase. Le monde entier, donc, se créolise et la résultante, c'est que notre imaginaire de l'identité change.

Vous connaissez mes thèses sur la question. A l'identité-racine-unique qui était l'orgueil, la beauté, la somptuosité, mais aussi le mortifère des cultures ataviques, nous tendons à substituer, non pas la non-identité, ni *l'identité-comme-ça*, celle qu'on se choisit comme on veut, mais ce que j'appelle *l'identité-relation, l'identité-rhizome*. C'est l'identité ouverte sur l'autre, parce qu'il nous faut nous habituer à l'idée – c'est difficile, nous en avons peur, et nous ne voulons pas, et nous reculons – que je peux changer en échangeant avec l'autre sans me perdre moi-même. De changer en échangeant avec l'autre, on en a tout de suite peur, on se dit "Mais qu'est-ce que je vais devenir? Qu'est-ce qui m'arrivera? Je vais me perdre, je ne serai plus 'je', je ne serai plus moi." Or, c'est une des fonctions de la poésie et de la littérature que de changer cet imaginaire des humanités, et que de faire comprendre que ces humanités entrent dans un nouveau cycle qui n'est plus celui de la découverte des terres, mais qui est celui de la découverte des cultures. Car on sait qu'aujourd'hui, les vrais conflits sont des conflits de cultures, et non des guerres de nations. Etant donnée cette nécessité de maintenir mon identité tout en l'ouvrant, je réclamerai, non pas le droit à l'indifférence, mais le droit à l'opacité, c'est à dire le droit pour chacun de ne pas être réduit à la transparence de l'autre, et d'accepter l'opacité de l'autre. Quand deux personnes ne s'aiment plus, la première chose qui se dit, c'est " je ne te comprends plus"; et quand on ne se comprend plus soi-même, on devient fou. C'est l'une des logiques implacables des cultures ataviques que de mener sur ce chemin. Je dis qu'il n'est pas nécessaire de comprendre quelqu'un, de le réduire à mon propre système de transparence pour vivre avec cette personne, pour l'aimer, pour travailler avec cette personne. Le droit à l'opacité n'est pas le droit à l'*apartheid*: c'est le droit à vivre ensemble, même s'il y a des choses qu'on ne comprend pas dans l'autre.

Bien entendu, la créolisation n'est pas un étendard libérateur. On ne peut pas demander à un noir américain sans domicile fixe dans les rues de New York de se battre pour la créolisation. De même, on ne pourrait pas demander, dans cette grande tragédie de l'Afrique, du Zaïre, du Rwanda ou de l'Ouganda, où des forêts immenses et des savanes sont des camps de concentration, où un autre holocauste est consumé –on ne peut pas demander à ces gens de poser les problèmes de l'identité, de la non-identité ou de la créolisation. Il y a des choses qui dans le monde se passent, et vont bien au-delà de ces questions que nous posons aujourd'hui. Certes, ce sont les accommodations économiques qui feront que la partie défavorisée de la population retrouve sa dignité d'existence, mais on peut dire par exemple que l'un des enjeux de l'Afrique du Sud nouvelle pour le 21ème siècle, l'un des grands enjeux, c'est de réussir la créolisation entre blancs, métis, noirs, zoulou, indiens. Selon ce qui sera réussi là, en Afrique du Sud, le 21ème siècle pour nous sera beau ou ne sera pas.

Mais il n'empêche que réaliser dans le concret les phénomènes de créolisation, c'est la question qui se pose pour les humanités aujourd'hui. Je prends le cas des Antillais de France. Il y en a beaucoup. Ils sont désespérés. Quand je fais des conférences dans la banlieue de Paris, ils me disent:

– Mais qu'est-ce que nous sommes? Quand nous allons aux Antilles, on nous dit "Vous êtes des Français, des merdeux de Français", et quand nous sommes en France, on nous dit "Vous êtes des merdeux d'Antillais".

Et moi je leur dis: "Foutez-vous-en! Vous êtes au-delà de tout cela, vous êtes en avant de tout cela, vous êtes l'avenir du monde. Vous réalisez quelque chose qui est au-delà de tout ce qu'on peut vous dire, soit aux Antilles, soit en France." Et quand je leur dis cela, leurs yeux pétillent, car ils se disent "Bon, on n'est pas inutiles, on a quelque chose à faire, on n'est pas des laminés, des déboussolés". Je leur dis "Mettez en œuvre votre poétique de la relation et vous verrez que vous rendrez service à tout le monde."

Je crois en effet qu'on peut changer en échangeant avec l'autre, sans se perdre soi-même.

LE METISSAGE ENTRE SOCIAL ET BIOLOGIQUE. L'EXEMPLE DES ANTILLES DE COLONISATION FRANÇAISE

Jean-Luc Bonniol

Chacun s'accorde à penser que le terme de métissage est tombé dans le discours commun. Utilisé dans les industries de la culture et de la mode, il est certainement dans "l'air du temps", renvoyant à l'irruption, dans nos sociétés, de l'hétérogène, permettant d'y rendre compte de l'existence d'une pluralité de populations, et de traditions culturelles, qui s'interpénètrent. Mais ne sert-il pas à nommer trop rapidement, sous le couvert d'un jugement moral convenu, des réalités qui s'imposent à nous avant que nous soyons capables de leur donner un sens? N'y a-t-il pas là le risque de "brader un mot usé jusqu'à la corde, avant même qu'on ait tenté d'en explorer tous les dédales,"[1] et de perdre ce qui faisait sa force première et sa précision? L'extension métaphorique à laquelle il est volontiers soumis ne risque-t-elle pas en particulier d'entraîner des effets incontrôlés, du fait de la charge originelle du terme? Il convient donc certainement de clarifier ce qui a trait au métissage en revenant à son champ d'application initial, qui se situe dans un nœud complexe entre le biologique et le social, ainsi qu'aux situations historiques au sein desquelles on place généralement sa naissance, à savoir la découverte, puis la mise en valeur des Nouveaux Mondes. Retour indispensable pour progresser dans l'analyse des faits de mélange, et approfondir leur théorisation, afin d'éviter dérives et confusions. Le cas antillais, certainement le plus exemplaire par les rencontres de populations et de cultures qui le caractérisent, nous servira de référence, mais nous prendrons aussi quelques illustrations dans d'autres sociétés issues de la

---

[1] Serge Gruzinsky, "Charmes et périls du métissage: du laboratoire américain à la World Culture", *Cahiers du Renard*, 13, 1993, pp. 52-61.

plantation esclavagiste.

Pour une théorie du métissage

Une théorie du métissage reste encore à produire. Qu'on ne trouve ici que quelques éléments de réflexion préalables. Il faut d'abord insister sur ce qui peut apparaître une évidence: l'articulation, derrière deux termes apparentés, de deux expériences: l'une d'ordre individuel, qui est celle du *métis*, issu de la conjonction de géniteurs dissemblables, catégorisés par leur appartenance à des groupes humains qui sont eux-mêmes censés être séparés par l'ascendance et l'aspect physique; un phénomène d'ordre collectif d'autre part, dont permet de rendre compte le terme de *métissage*, qui désigne, au delà de la simple sommation de ces individus métis, l'apparition progressive d'une population nouvelle. On voit donc que la "problématique" du métis, individu coincé entre deux mondes, et celle du métissage, processus cumulatif aboutissant à une éventuelle dissolution des populations initiales et à l'évènement d'un nouveau groupe humain, sont relativement dissemblables. Il n'empêche que le métissage, en tant que phénomène collectif, renvoie toujours à l'expérience individuelle issue de la conjonction fondatrice de deux êtres séparés par la différence de leurs apparences. La fascination même exercée par la notion tient certainement à la dimension sexuelle qu'elle évoque: derrière le mot, c'est toujours, comme l'avait si bien pressenti Roger Bastide, l'étreinte des corps qui se profile, même si celle-ci s'inscrit dans des rapports de domination. D'où sa puissance symbolique, et son extension métaphorique considérable, puisque le terme a fini par désigner tous les phénomènes de mélange ou de fusion affectant la réalité sociale, métaphorisés par le métissage, d'étage en étage. Extension qui n'est pas possible en anglais, où le mot n'existe pas, remplacé par l'expression de *race crossing*, ou par les termes *hybridization* et *miscegenation* qui renvoient, très explicitement, au champ de la biologie de la reproduction et de la transmission des caractères.

- Rencontres de populations et redistribution génétique des caractères

Ce champ relève aujourd'hui d'une pensée scientifique forte, qu'il convient, afin d'éclairer la réalité que l'on cherche à saisir, de rapidement exposer. Rappelons que c'est à partir d'expériences d'hybridation que Mendel a découvert la duplicité et le caractère discontinu du matériel héréditaire, dont les supports – qu'on appellera plus tard les gènes – sont permanents et ne peuvent se dissoudre lors d'unions entre différents. Mais, qu'il s'agisse d'hommes ou de pois, le modèle d'interprétation est le même: le "produit" est déductible en probabilité, il est le résultat de la combinaison aléatoire, et donc à chaque fois singulière, de composantes discontinues.[2] Chaque être humain correspondant à une séquence particulière de gènes, comment dès lors opposer une union "métissante" à une autre qui ne le serait pas?[3] Au niveau des ensembles significatifs de redistribution des gènes, que la génétique dénomme populations, l'assemblage de ces séquences particulières peut être mesuré par des fréquences génétiques qui caractérisent chacun de ces ensembles. A ce niveau, une rencontre de deux ou de plusieurs populations met en place une collection nouvelle de gènes à partir du stock des populations de départ, et aboutit simplement à la fixation de nouvelles fréquences. Mais, là encore, il s'agit d'un processus normal dans l'évolution humaine... Parler de réalité biologique du métissage paraît, dans ces conditions, sans objet. Quelle peut être alors la spécificité du phénomène?

- Le métissage comme forme perceptive

C'est là qu'on peut découvrir, au cœur de la définition

---

[2] J. Benoist, J.L. Bonniol, "Hérédités plurielles. Représentations populaires et conceptions savantes du métissage", *Ethnologie française*, 1994/1, pp. 58-69.

[3] Nous empruntons ce néologisme à J. Benoist, "Métissage, syncrétisme, créolisation: métaphores et dérives", *Etudes créoles*, XIX, 1, 1996, pp. 47-60.

même du métissage, la question centrale de la perception. Dans la mesure où la réalité biologique, telle que la génétique en rend compte, ne peut être saisie de manière discriminante, on est alors renvoyé vers le sens commun, qui lui se fonde sur la *conscience d'une distance*, conçue certes comme biologique et inscrite dans l'hérédité, mais s'appuyant sur les seuls contrastes qui touchent à certains caractères visibles.[4] On a ainsi coutume de désigner comme "métis" le produit d'une union entre des individus ayant des apparences physiques différentes, qui relèvent le plus souvent de ces collections d'êtres humains – appelons-les des "races" – habituellement distinguées par les traits visibles, souvent socialement discriminants, de leurs membres; et comme "métissage" un processus collectif et cumulatif de mélange aboutissant à une population nouvelle.

Prenons le cas de la figure la plus classique de ce que nous appelons métissage, à savoir le produit des mélanges où se confrontent les deux couleurs les plus extrêmes, le "noir" et le "blanc". Le principe discriminant initial est obtenu à partir d'un certain nombre de caractères physiques: au premier plan, la densité dans l'épiderme d'un pigment appelé mélanine, présent dans toutes les populations, mais à des doses variables. Mais il suffit d'une minuscule partie de notre patrimoine génétique pour déterminer ce caractère... La disproportion est grande entre le caractère très ténu du support génétique de la différence de couleur et l'ampleur de l'intervention de cette différence comme opérateur distinctif dans l'histoire de l'humanité! Alors que la génétique décrit également des différences entre individus ou groupes autrement plus importantes, qui ne sont l'objet d'aucune perception sociale (ne serait-ce que les groupes sanguins ou tissulaires)... Lorsqu'est portée l'appréciation de métissage, elle n'enregistre donc que le brassage, plus ou moins régulé, qui affecte ce minuscule lieu génétique, alors qu'une dissolution globale des associations géniques initiales peut très

[4] J. Benoist, "Le métissage: biologie d'un fait social, sociologie d'un fait biologique", in *Métissages*, tome 2 (Paris: Université de la Réunion et L'Harmattan, 1991), pp. 13-22.

bien se produire sur d'autres fronts...

On voit par là que la notion de métissage, conçue souvent comme relevant de manière fondatrice du biologique, ne renvoie pas à une réalité biologique en soi mais à un tri qui isole, au sein de cette réalité, des traits censés représenter une discontinuité; elle correspond à un construit de la perception permettant d'interpréter, sur la base restreinte (mais ô combien discriminante...) de certains caractères visibles, des phénomènes biologiques. Par contre, les flux géniques inapparents (ceux qui concernent des caractères non visibles, ne faisant l'objet d'aucun investissement social) n'ont pas droit à l'appellation de métissage. C'est un fait social, la *distance perçue*, qui se trouve naturalisé, et le biologique apparaît socialement médiatisé, saisi qu'il est à travers ce prisme sélectif.

Une telle représentation présuppose, de manière implicite, l'idée de "race", c'est-à-dire l'existence de groupes humains caractérisés par une différence morphologique, et conçus comme distincts grâce à la séparation des ascendances. Il y a là un paradoxe qui n'a peut-être pas suffisamment retenu l'attention des analystes: l'idée de métissage procède du même argumentaire essentialiste que la "race", et le point central du paradoxe réside dans le fait que ce sont les antiracistes "scientifiques" qui, récemment, en ont chanté les louanges, au moment même où ils le niaient en rejetant les distinctions raciales... Dans leur désir légitime de rendre vaine toute classification raciale et de trouver de nouveaux fondements pour rendre compte de la diversité humaine, ils ont en effet sélectionné des caractères génétiques invisibles, très inférieurs au niveau de la perception phénoménale, au risque de faire oublier les individualités phénotypiques globales, les seules signifiantes dans le vécu, et d'effacer par là ce qu'on a pu appeler le "tragisme" singulier du métis.[5]

---

[5] Patrick Tort, "Double mixte", *Cahiers du Renard*, 13, 1993, pp. 9-14.

- Le métissage comme processus social

Au delà de sa reconnaissance comme représentation, le métissage s'articule au social au travers des modes par lequel celui-ci régule les confrontations de populations. Un métissage est en effet la traduction d'une histoire, biologique mais aussi sociale, marquée par la rencontre de deux ou plusieurs populations originelles, histoire au long de laquelle le sens, l'intensité, le rythme des flux géniques peuvent différer. La spécificité des populations conçues comme métissées ne réside-t-elle pas justement dans le fait d'avoir conservé la mémoire de leurs origines plurielles, ce qui tend à structurer selon ce critère d'origine, qui peut éventuellement se refléter dans les aspects physiques des individus, les sociétés qui leur correspondent? On est alors dans le cadre d'une logique identitaire qui segmente en sous-ensembles la population et organise une gestion sociale de la miscégénation, au travers des rapports qui s'établissent entre ces sous-ensembles (de la ségrégation destinée à stopper la poursuite des mélanges à une intégration plus ou moins poussée, qui peut être marquée par la sélection du conjoint en fonction de l'origine et/ou des caractères physiques...).

Dans un contexte "naturel" en effet, le brassage tendrait, au hasard des rencontres reproductrices individuelles, à la constitution d'une nouvelle population, se rapprochant à chaque génération d'un état d'équilibre où toute distinction par l'origine deviendrait non pertinente. Mais ce modèle n'est jamais réalisé dans les populations humaines: l'intégration est freinée par des cloisonnements ou des comportements homogames qui s'articulent aux caractères discriminants, en fonction desquels s'effectue le "tri" racial; la société, par le recours à une économie matrimoniale bien surveillée, canalise les divers modes de redistribution du patrimoine génétique et contrôle, au travers des faits d'alliance et de procréation, un phénomène biologique qui normalement lui échapperait. Il est possible en la circonstance d'avancer l'idée d'une *gestion sociale de l'hérédité*, qui aboutit, en fonction de critères touchant à l'origine ou à l'apparence, à la création de sous-ensembles entre lesquels s'installent une distance généalogique et une différenciation phénotypique.

On constate que les caractères discriminants qui sont en jeu dans cette gestion de l'hérédité relèvent de *marques biologiques* (couleur de la peau, traits du visage, texture des cheveux), qui relèvent elles-mêmes d'une transmission génétique (même si celle-ci est pensée en permanence par la société). On peut très bien concevoir cependant une société qui gère son hérédité sur la base de caractères non transmis génétiquement (sociaux, comme la noblesse, ou la propriété foncière, ou culturels, comme la langue ou la religion), en régulant son système d'alliances matrimoniales sur la base de ces caractères. Cela implique que ceux-ci soient socialement réactivés à chaque génération le long des chaînes de filiation: on peut alors raisonner sur un mode homologue au cas précédent, et postuler de la même façon un façonnement social des structures biologiques de populations, en reconnaissant l'établissement de distances entre des sous-ensembles. Mais à chaque changement de génération se profile le risque d'une non-reproduction de ces caractères historiquement volatils (révolutions, mobilité sociale, conversions ou perte du sentiment religieux, changements linguistiques...), entraînant une abolition irrémédiable des possibilités de distinction et brouillant les cartes biologiques sans espoir de retour. Inversement, si des populations biologiquement diverses sont mises en contact, mais sans que leurs différences génétiques aient une charge sémantique au sein du champ social, les distances initiales s'érodent progressivement, perdant toute implication possible dans les choix matrimoniaux.

L'originalité d'une gestion sociale de l'hérédité à partir de marques biologiques apparentes résulte donc de deux conditions préalablement remplies:

– d'une part ces caractères, dans la mesure où ils sont accessibles à une reconnaissance visuelle, peuvent être constitués en signifiants sociaux (sinon ils ne seraient pas opératoires);

– d'autre part ces caractères, même s'ils sont du domaine des apparences, sont génétiquement transmis. Par là ces apparences ne sont pas éphémères, et elles en acquièrent une immuabilité fondamentale. Ces marques sont rémanentes par rapport aux évolutions sociales, elles ne peuvent être abolies sous l'effet d'une volonté humaine; elles offrent à chaque génération, de manière renouvelée, un matériau contrasté pour une perception discriminante, qui se façonne par rapport à une réalité qui, bien que vivante et mouvante, garde la mémoire des apparences anciennes. Ce qu'avait déjà bien compris Tocqueville, lorsqu'il écrivait, à propos de l'esclavage moderne: "le souvenir de l'esclavage déshonore la race, et la race perpétue le souvenir de l'esclavage..."[6]

La boucle est donc bouclée, dans un cycle complet d'action et de rétroaction. En d'autres termes, là où ailleurs l'évolution avance de manière quelque peu indifférenciée, simplement canalisée par la distance sociale ou spatiale, il est ici possible de saisir des règles relativement strictes qui gouvernent la transmission des caractères discriminants d'une génération à l'autre, en fonction des choix sociaux qui président aux rencontres reproductrices: "le système de valeurs agit à la manière d'un filtre génétique," et la population évolue elle-même vers le but que la société lui fixe...[7] Ce qui ne veut pas dire cependant que les "races" acquièrent par là une réalité et une substance: le filtrage ne porte que sur les quelques gènes porteurs du principe distinctif, et aboutit à une simple segmentation phénotypique, alors qu'un brassage généralisé peut affecter tout le reste du patrimoine génétique et faire progresser la population globale vers l'homogénéité.

La fabrique antillaise du métissage

L'exigence d'une distance perçue, fondée généralement sur la teinte de l'épiderme, explique que le métissage ait été "inventé", au moins dans le cadre de la pensée occidentale, lorsqu'entrèrent en contact les "races de

---

[6] A. de Tocqueville, *De la Démocratie en Amérique*, Paris, 1835, cité par M. Leiris, *Contacts de civilisations en Martinique et en Guadeloupe* (Paris: UNESCO et Gallimard, 1955), pp. 166-167.

[7] T. Todorov, *Nous et les autres* (Paris: Le Seuil, 1989), p. 116.

couleur", à l'époque de la rencontre des mondes et de la mise en contact des populations des différents continents, jusque là largement séparées (fin 15ème, début 16ème siècle). C'est donc vers les contextes coloniaux qui se mettent alors en place, lorsque la confrontation avec des humanités perçues comme distantes par leur type physique devient une expérience vécue, qu'il faut se tourner pour observer l'émergence d'une pensée du métissage. Très vite en effet la contradiction surgit entre ces distances, qui semblent considérables, et l'unité de l'homme qui s'impose, par la constatation de rapports sexuels suivis de procréation...

- Le métissage à la source de la racialisation des rapports sociaux

Penchons-nous plus précisément sur les Antilles de colonisation française. D'emblée, le métissage est l'objet d'une stigmatisation fondamentale: "crime que Dieu déteste," il apparaît comme le fruit d'une violence originelle, aboutissement obligé de l'exploitation sexuelle de la femme esclave par le maître. De là la naissance "honteuse" des mulâtres et l'illégitimité dont elle est marquée durablement... Apparaît là l'image très sexuée du métissage, qui renvoie traditionnellement à l'union de la femme de couleur et de l'homme blanc sous le sceau de l'illégitimité, alors que l'union de l'homme noir et de la femme blanche est restée jusqu'à une date assez récente largement *impensable*...

"Désordre... épouvantable et presque sans remède" aux premiers temps de la colonie, du fait de la rareté de l'élément féminin, le métissage est devenu vite l'objet d'une réglementation spéciale. Très vite, suite à un premier libéralisme en matière d'alliances, où de surcroît l'enfant mêlé était déclaré libre, une réaction s'est dessinée, sur deux fronts: d'une part, surveiller l'hérédité pour empêcher de telles naissances, en prenant des dispositions pénales contre les mariages mixtes; d'autre part, amoindrir la condition du mulâtre, dangereux pour l'ordre colonial (en faisant revivre au premier chef la loi du ventre, et en maintenant l'enfant mêlé né d'une mère esclave dans la servitude...). Il suffit désormais de relever, même très partiellement, de la couleur noire pour être affecté d'un cœfficient de défaveur, d'autant plus que cette classe d'hommes, considérée comme issue de conjonctions illégitimes, est dépréciée globalement.

Une nouvelle donne idéologique s'impose en effet dans les sociétés centrées sur la Plantation esclavagiste, celle du préjugé de couleur. Roger Bastide faisait à juste titre remarquer que si la miscégénation s'était réalisée dans le mariage, elle aurait effectivement démontré une réelle absence de préjugé. Mais dans la mesure où elle s'est développée par le canal d'unions illégitimes et souvent clandestines, elle n'a fait que conjuguer la domination sexuelle et l'oppression raciale.[8] Et, paradoxalement, c'est le métissage qui apparaît comme un des facteurs de la racialisation des rapports sociaux... Si la coupure juridique de l'esclavage avait en effet fonctionné sans faille, les différences de couleur entre maîtres et esclaves n'auraient relevé que d'une coïncidence historique, demeurant un simple épiphénomène. Mais l'apparition, avec les affranchissements, d'une catégorie qui tenait à la fois au statut du dominant et à la couleur de l'opprimé a brouillé les signes juridiques: pour maintenir la distinction, il fallait que cette liberté acquise ne rende pas pour autant les nouveaux libres égaux des maîtres; il fallait les maintenir dans une position amoindrie qu'exprime bien la juxtaposition d'un terme juridique et d'un terme coloriste dans l'expression *libres de couleur*: d'une coïncidence historique, on passe alors à une nécessité idéologique, puisqu'on trouve dans la différence de teinte une justification facile du scandale qu'aurait pu représenter la servitude pour des âmes chrétiennes, surtout si le préjugé était intériorisé chez l'esclave lui-même... Certes des mulâtres pouvaient être maintenus, conformément à la nouvelle réglementation, dans la servitude: cela ne pouvait alors être légitimé que si l'on affectait à toute ascendance noire, si infime soit-elle, une prédisposition à la condition d'esclave. C'est dire que la racialisation des rapports sociaux a certes été fixée par

[8] R. Bastide, "Dusky Venus, Black Apollo", *Race* 3, 1, 1961, pp. 10-18.

l'esclavage, mais qu'elle a été "dynamisée par les premières unions interraciales."[9] En d'autres termes se développe l'autonomie distinctive des relations raciales: considérations d'origine et caractères phénotypiques acquièrent une valeur propre...[10]

- Limites et catégorisations

Il n'empêche qu'il pouvait y avoir aussi contradiction entre les intérêts collectifs du groupe blanc dominant et les aspirations personnelles de certains maîtres désireux de transmettre quelques avantages à leur progéniture de couleur. Là réside peut-être l'un des facteurs de la montée de la population de couleur, constituée le plus souvent de Mulâtres, en particulier dans la Saint-Domingue du 18ème siècle, où elle était parvenue, en quelques décennies, à posséder un tiers des terres et un quart des esclaves. Face à "ce péril en la demeure" pour le groupe blanc,[11] un seul remède, le cantonnement, exprimé, dans ce qu'il était convenu d'appeler la doctrine coloniale, par la fameuse *ligne de couleur*...

Celle-ci dérive d'un raisonnement généalogique, où réside une conception asymétrique de l'hérédité des mélanges éventuels. Un partage sans faille est établi en effet entre les Blancs et tous les autres (quel que soit leur degré réel de décoloration); leurs descendances respectives sont séparées par "une ligne prolongée jusqu'à l'infini"[12]... Il y a là un partage du monde en deux, une réduction en noir et blanc qui a pu persister, loin de sa naissance coloniale, et s'imposer à l'ensemble de l'Occident. De là en effet cette dichotomie

---

[9] *Ibid.*

[10] J. L. Jamard, "Réflexions sur la racialisation des rapports sociaux en Martinique: de l'esclavage bi-racial à l'anthroponymie des races sociales", *Archipelago*, 3-4, 1983, pp. 47-81.

[11] J. L. Jamard, art. cit.

[12] Moreau de Saint-Méry, *Description topographique, physique, civile, politique et historique de la partie française de l'île de Saint-Domingue* (Philadelphie: 1797; rééd. Paris: Larose, 1958), p. 100.

désormais classique dans les catégorisations populaires du Noir et du Blanc, qui repose *in fine* sur une catégorisation généalogique: d'un côté, les "Blancs", supposés indemnes de mélange et qui ne peuvent donc descendre eux-mêmes que de Blancs, de l'autre cette catégorie des "Noirs" ou des *Nègres*, qui comprend aussi bien les Négro-Africains originels que les descendants de tous les mélanges, "ramenés à l'autre couleur fondamentale, pour la raison qu'ils en sont en partie issus"[13]... On sait que cette dichotomie affecte traditionnellement la règle de descendance "américaine" (la fameuse "goutte de sang"), mais elle a connu un regain de fortune dans les retournements identitaires du 20ème siècle (Négritude, Black Power...).

Une telle logique de la ligne de couleur peut fonctionner comme le seul opérateur distinctif, mais elle n'est pas contradictoire avec la prise en compte d'un processus parallèle de métissage.[14] Cette partition sert en effet les intérêts du segment racialement dominant, alors que le reste du corps social est tenté d'instituer différents paliers reliant les deux pôles raciaux, au travers des catégories de métissage, par lesquelles s'exprime un versant essentiel du préjugé, qu'on a pu appeler le "sous-racisme" des gens de couleur, dans la mesure où il constitue une intériorisation et un reflet du préjugé global. C'est en effet toute une cascade de mépris qui dévale toute la hiérarchie des nuances que ces catégories traduisent.

Ce n'est pas le lieu ici de les analyser. Qu'il suffise de dire que l'obsession généalogique du contrôle de l'hérédité imprègne toute la catégorisation, désireuse de contrer la fausseté possible des apparences. Catégorisation qui se fonde sur la règle fondamentale d'inégalité (suprématie du Blanc sur le Noir), d'où le caractère profondément asymétrique de la classification. Ce système cognitif requerrait donc, pour son fonctionnement idéal, un espace social relativement restreint

---

[13] Y. Debbasch, *Couleur et liberté. Le jeu du critère ethnique dans un ordre juridique esclavagiste* (Paris: Dalloz, 1967), p. 307.

[14] J. L. Bonniol, *La Couleur comme maléfice. Une illustration créole de la généalogie des "Blancs" et des "Noirs"* (Paris: Albin Michel, 1992).

et une profondeur généalogique suffisante. On peut se demander s'il n'était pas menacé d'instabilité, dans la mesure où se faisait jour une tendance à la classification phénotypique, au détriment de la règle de descendance.[15] Lorsque le recours à l'hérédité était impossible, il fallait en effet se résigner à la prise en compte de l'apparence.

On retrouve dans toutes les situations de métissage Blanc/Noir le même modèle, plus ou moins affirmé, de "mathématique raciale", selon l'heureuse expression de Michèle Duchet.[16] Mais dans tous les cas la catégorisation en fonction de l'hérédité se heurte à cette possible non adéquation des apparences. Que faire par exemple des cas de germains aux types physiques contrastés? Doit-on les maintenir dans la même catégorie? Que faire des cas de non-concordance, où l'apparence se joue de l'ascendance, comme en témoigne l'expression *un enfant bien sorti* (pour désigner un enfant dont le hasard a fait qu'il manifeste une peau plus claire que celle à laquelle on aurait pu s'attendre, au vu de ses géniteurs...). La classification populaire se heurte en effet à l'impossibilité de penser la loterie héréditaire. Elle tend alors à faire prévaloir l'évaluation phénotypique sur la pondération généalogique, comme par exemple au Brésil, où s'affirme le primat de l'apparence, puisque des germains aux phénotypes différents sont identifiés par des termes raciaux différents, dans un contexte de profusion terminologique extrême. Dans presque toutes les sociétés post-esclavagistes, on assiste ainsi à une certaine dérive vers des catégories fondées sur l'apparence physique: ainsi les Chabins des Antilles françaises, excellemment définis par Michel Leiris comme "des individus qui semblent présenter au lieu d'un amalgame une combinaison paradoxale de traits"...[17]

Loin de l'ordre socio-racial strict de la Plantation ou

---

[15] P. Crépeau, *Classifications raciales populaires et métissage: essai d'anthropologie cognitive* (Sainte-Marie, Martinique: Centre de Recherches Caraïbes, 1972).

[16] M. Duchet, "Esclavage et préjugé de couleur", in P. de Comarmond et C. Duchet, eds., *Racisme et société* (Paris: Maspéro, 1969).

[17] M. Leiris, *Contacts de civilisations en Martinique et en Guadeloupe* (Paris: Gallimard, 1955), p. 161.

de ses variantes, dans des contextes sociaux où une certaine fluidité sociale a accompagné les rencontres de populations de diverses origines, c'est le phénotype lui-même qui peut être compensé ou neutralisé par d'autres facteurs. Les termes descriptifs tendent alors à quitter leur finalité apparente, concernant l'apparence ou la généalogie, pour devenir une terminologie coloriste de la hiérarchie sociale, concernant la richesse, la respectabilité familiale ou professionnelle, voire le quartier de résidence... Ainsi tend-on au Brésil à catégoriser par des termes raciaux identiques des individus d'apparences différentes mais de même rang socio-économique et celui qui s'élève dans l'échelle sociale peut littéralement passer d'une catégorie raciale à une autre: "l'argent blanchit...". Aux Antilles elles-mêmes, n'entend-on pas des proverbes du type: *tou mulat pov sé nèg tou nèg rich sé mulat* (tout mulâtre pauvre est un nègre et tout nègre riche est un mulâtre...)? Ces contextes sont certainement favorables, en bout de la chaîne logique de variation, à l'*occultation* du métissage, qui peut être nié dans la mesure où il n'est pas considéré comme une menace. Ainsi, chez les "Blancs" pauvres d'îles antillaises marginales comme Terre-de-Haut des Saintes, ou chez ceux des Hauts de la Réunion, le métissage est-il évacué: l'entrée de gènes d'origine africaine est tolérée, tandis que le discours sur l'identité en minimise le sens, voire en nie l'existence...

- Economie matrimoniale

On voudrait, maintenant qu'a été repérée la raison classificatoire qui préside aux représentations du métissage, suivre le processus en lui-même, du social au biologique. Le métissage n'apparaît ni généralisé ni homogène: il est possible de reconnaître, au cours du temps, des segments de population inégalement mêlés, et découvrir par là une structuration qu'il est possible d'analyser en fonction des origines. Ce qui correspond d'ailleurs à la conscience collective...

Les valeurs raciales qui aboutissent à des choix privilégiés écartent les populations antillaises de la fusion qui s'imposerait dans un contexte naturel. La progression du métissage est affectée par des stratégies intergénérationnelles par lesquelles les lignées appartenant à la population de couleur s'efforcent d'accroître, ou du moins de maintenir, ce que l'on peut appeler un "capital racial".[18] Tout se passe comme si ces sociétés s'efforçaient de maîtriser le processus de mélange de manière à assurer une reproduction des apparences et éviter ce qui saperait leur fondement même, la dilution des couleurs. Ces stratégies matrimoniales, ou simplement reproductrices, créent un feuilletage plus ou moins complexe, avec l'émergence de catégories à la fois sociales et biologiques, ouvertes vers le haut mais fermées vers le bas.

Ces stratégies ne peuvent se déployer tout au long de la catégorisation raciale que si elles trouvent à s'accrocher au tissu social, en particulier si elles jouent de compensations possibles de la position de race à la position de classe. Ce jeu de compensation est particulièrement bien illustré par les maximes régissant le choix d'un amoureux, telles qu'elles sont rapportées par Frantz Fanon.[19] Joue également en la matière le statut de l'union: le métissage est, on l'a vu, initié par les rapports illégitimes de l'homme blanc; dans le même temps, pour la femme noire ou de couleur, l'union avec un homme blanc ou plus clair peut représenter une chance d'éclaircissement de sa descendance (d'où le thème de la Mulâtresse courtisane et des lignées bâtardes de familles métisses...). Dans certaines lignées, ces stratégies, qui s'étalent sur un nombre de générations qui peut être appréciable, peuvent aller dans le sens d'une volonté tenace de blanchiment (*sauver la peau...*), profitant du Message Blanc stigmatisé par Fanon, lorsqu'il parle de ces "délicieux petits gènes aux yeux bleus, pédalant le long des couloirs chromosomiaux...",[20] comme en témoigne le célèbre passage de Salvat Etchart[21] sur les demoiselles Alicanthe (menant

---

[18] J. L. Jamard, art. cit.

[19] F. Fanon, *Peau noire, masques blancs* (Paris: Seuil, 1954).

[20] F. Fanon, p. 42.

[21] Salvat Etchart, *Le Monde tel qu'il est* (Paris: Mercure de France, 1967), pp. 95-96.

leur “combat”, génération après génération, avec “une tranquille et persévérante ferveur”...). Au bout du chemin se profile le fameux “passage de la ligne”, qui ne peut concerner que quelques individus capables d’échapper à la mémoire collective et d’occulter à leurs propres yeux une part de leur ascendance.[22]

L'exemple de la Désirade

Nous voudrions ici illustrer notre propos en recourant à des généalogies reconstituées sur deux siècles dans la petite île de la Désirade. Petite île marginale, la Désirade a connu un système d’habitations cotonnières au 18ème et au début du 19ème siècle. Elle en a hérité, malgré l’homogénéisation des conditions de vie consécutives à la libération des esclaves, une société racialement segmentée, du moins jusqu’aux années récentes. Son isolement et sa petitesse en font un laboratoire idéal pour dégager un modèle qui est applicable, sur un autre ordre de grandeur, à l’évolution qu’ont connue les îles à sucre... A partir d’un corpus exhaustif et informatisé de données généalogiques recueillies dans les registres paroissiaux et d’état civil, il est possible de suivre, dans ce cas privilégié, le comportement matrimonial et reproducteur de tous les individus depuis les origines.

Si l’on veut accéder à l’histoire du groupe en dégageant les configurations sociales par lesquelles s’opère la transmission des gènes d’une génération à l’autre, il faut tracer des réseaux reliant la population actuelle, pour laquelle on ne dispose que d’une appréciation phénotypique parfaitement empirique, et la population de ce qu’on appelle les “fondateurs”, c’est-à-dire les individus pour lesquels on n’a plus d’information généalogique. On peut par contre regrouper ces fondateurs dans des segments socio-raciaux significatifs, grâce au document fondamental qu’est le *Registre d'Inscription des Nouveaux Citoyens de 1848*, par lequel se met en place une procédure fondamentale de nomination des lignées. Il est alors possible d’édicter des

---

[22] Y. Debbasch, op. cit.

catégories généalogiques, au fil des générations, en fonction des proportions d'ascendance qui caractérisent chaque individu par rapport à ces segments initiaux.[23]

On constate alors qu'un certain nombre d'individus, au fil des générations, continuent à descendre exclusivement du seul segment "blanc" originel, dont tous leurs ancêtres font partie: ils constituent un groupe blanc qui se maintient dans le temps, indemne de tout mélange... On a donc là un effet de *barrière*, puisque le secteur blanc s'est refusé à la pénétration de gènes extérieurs. Il connaît certes une érosion manifeste, mais le groupe arrive malgré tout à maintenir son individualité, et même à conserver un effectif étale pour les deux dernières générations... Stratégie consciente? Nous en sommes persuadé, sous l'effet du *pattern* structurant de la ligne de couleur. Mais on peut toujours alléguer que le hasard aurait bien pu amener au même résultat... L'exemple *a contrario* de la descendance du segment "noir", au départ beaucoup plus fourni en individus, prouve le contraire: à chaque génération, cette descendance se mêle inexorablement avec celle du segment "blanc": il ne reste finalement qu'un individu qui descend exclusivement de ce segment pour la dernière génération! C'est dire la rapidité avec laquelle un groupe peut se dissoudre dans une population "générale", lorsqu'il n'a pas de stratégie consciente de survie. C'est dire aussi combien le concept de barrière ne s'applique pas par rapport au pôle noir de la population: le terme de "noir", lorsqu'il est employé, ne peut que désigner des individus qui sont, d'une manière ou d'une autre, déjà mêlés...

Au delà de la barrière entourant le groupe "blanc" se produit en effet un puissant mouvement de brassage, au sein duquel se fondent les apports en provenance des deux segments initiaux. La descendance "blanche" ne se cantonne pas dans le groupe de même appellation mais se diffuse dans le reste de la population insulaire. La *barrière* est donc perméable dans un sens mais non dans l'autre; cette hémiperméabilité fait que le flux génique ne peut aller que des

---

[23] On pourra se reporter, pour toutes ces analyses, à notre ouvrage, cité *supra*.

"Blancs" vers la population de couleur, qui se trouve par là en perpétuelle évolution alors que l'autre reste stable.

Un coup d'œil sur la population actuelle permet d'affirmer que la réalité phénotypique semble correspondre à ce modèle d'évolution inféré à partir des données généalogiques. A l'évidence un groupe blanc a perduré jusqu'à nos jours, sauvegardé de tout mélange, alors qu'un *continuum* remarquable caractérise la population de couleur, depuis les teintes les plus claires et les traits largement européens jusqu'aux teintes plus sombres et aux traits plus africains; rares par ailleurs sont les individus qui semblent issus d'une ascendance africaine homogène. Mais l'observation des comportements montre aussi que la Désirade offre aujourd'hui l'exemple accompli d'une remarquable fluidité des "relations raciales", annonciatrice d'une abolition de la "race" dans le champ social: on constate d'abord une absence de consensus pour l'application de termes descriptifs aux cas individuels (tout dépend du phénotype de l'individu à classer, du phénotype de l'individu classant et de la relation préalable entre les deux, où interviennent des données secondaires comme l'âge ou le sexe). Il est surtout impossible de repérer des frontières sur la base de la couleur, donc une éventuelle ségrégation résidentielle ou des différences institutionnelles ou culturelles; la "race" ne sert pas à structurer des groupes mais de simples alignements d'individus...[24]

On voit là combien un métissage ne peut être que l'incarnation d'une histoire sociale, marquée par la prévalence d'une identité de couleur qui jusqu'à une date récente a édicté les catégories et gouverné les processus à l'œuvre. "La société coloniale, tout en mélangeant les couleurs et en atténuant du même coup les différences, en perpétue les distinctions. Le métissage est, par certains côtés, l'inverse d'une fusion..."[25]

Nous pouvons alors nous interroger sur les effets de la métaphorisation du terme, lorsqu'on l'applique à la

---

[24] J. Naish, *Race and Rank in a Caribbean Island: Desirade*, Londres, thèse dact., 1974.

[25] P. Bessaignet, article "Métissage", *Encyclopedia Universalis*, vol. X, 1968, pp. 1008-1010.

problématique des rencontres de civilisations, où se confrontent les différents apports, dans des processus de perte, de fusion, mais aussi de création, à partir des matériaux divers confrontés, face aux exigences d'un nouveau milieu. Jean Benoist fait utilement remarquer que toute métaphore risque de ne pas être entièrement "déréalisée", c'est-à-dire de garder les traces de la première réalité à laquelle le terme référait. En l'occurrence, le mot de métissage est habité par une vision typologique des races, initialement pures, il porte en lui toutes les images liées à l'opposition entre une pureté initiale et le mélange qui la remet en cause. De là la conscience malheureuse qui entoure souvent la figure du métis, requis, dans un conflit identitaire, de choisir son camp au prix imposé d'une amputation de son être[26] ... Et, dans le champ culturel, se profile ce que Raphaël Confiant appelle l'*infarctus ontologique*,[27] la souffrance identitaire antillaise se résolvant dans le refus du mélange et le retour mythique à une source plus pure...

N'est-il pas possible cependant de dépasser une telle conclusion négative, comme semble nous y inviter l'exemple contemporain de la Désirade? Peut-être la métaphore, par son côté biologisant, et par la vision substantialiste qu'elle transmet, pose-t-elle les conditions du dépassement de ce que le terme même impliquait. Le métissage peut ainsi apparaître, si l'on veut bien en faire une idéologie positive, comme le symbole d'une rupture essentielle, d'une contestation vitale "de la pureté à maintenir, de l'unité homogène d'un héritage à cultiver, (de) la grande idéologie de l'homogène et du pur", donnant une chance au "mixte d'exister comme réalité, comme désir, comme avantage évolutif et comme horizon civilisationnel...."[28] Et, par là, peut être mise à mal en retour l'identité raciale elle-même, ce "scandale sémiotique qui est à l'origine des notions mythiques de *Noir, Blanc, Métis, homme de couleur, Mulâtre*, qui sont une profanation de la

---

[26] J. Benoist, "Métissage, synchrétisme, créolisation..." 1996, art. cit.

[27] R. Confiant, *La Savane des pétrifications* (Paris, Les Mille et une nuits, 1995), cité par J. Benoist, 1996, art. cit., p. 38.

[28] P. Tort, art. cit., p. 16.

diversité et de l'unité de l'espèce..."[29]

Allons au-delà et réfléchissons sur les conséquences sociales et culturelles d'un processus de métissage. Considérons en particulier la différence fondamentale que l'on peut constater entre les contextes historiques où l'on observe un refus du métissage (soit par l'absence d'unions mixtes, comme dans le cas de l'Afrique du Nord coloniale, soit par l'évacuation du métissage au profit d'une réduction en "noir" et "blanc"), et ceux dans lesquels (sociétés créoles, sociétés hispaniques de la Caraïbe) où le métissage s'est emparé de toute la population (hormis la persistance, dans certains cas, d'une fine pellicule de Blancs dominants ou de poches d'immigrants récents). Harry Hœtink avait bien vu que le métissage, par le *continuum* à la fois phénotypique et social qu'il contribue à installer, par la *promiscuité* qu'il établit entre des individus racialement divers, sert de liant à la société;[30] c'est grâce à lui que peut être évitée la constitution de communautés closes sur elles-mêmes, et sur leurs cultures. C'est sur ce que René Depestre appelle le "métier à métisser" que se chaîne la créolisation, ce "métabolisme culturel né sur place", ce "processus d'accélération baroque des héritages culturels", qui aboutit à des "éléments puissants de communion esthétique à partir des cruelles antinomies que la colonisation avait tramées dans la vie plantationnaire".[31] Si l'on veut bien faire des sociétés créoles des prototypes de la post-modernité, comme y invite la fortune actuelle de ce terme de créolisation, on comprend peut-être alors tout l'intérêt, pour nos sociétés plurielles en devenir, de faire du métissage leur emblème privilégié.

---

[29] R. Depestre, "Les aventures de la créolité" in R. Ludwig, ed., *Ecrire la parole de nuit* (Paris: Gallimard, 1994), p. 167.

[30] H. Hœtink, *The Two Variants in Caribbean Race Relations. A Contribution to the Sociology of Segmented Societies* (Londres: Oxford University Press, 1967). Ce point fait partie de son argumentation opposant un modèle "ibérique" et un modèle "anglo-saxon" des relations raciales...

[31] R. Depestre, art. cit., p. 164.

ENFANTS DE LA COLONIE: BATARDS RACIAUX, BATARDS SOCIAUX

Emmanuelle Saada

Le 2 mai 1990, Marie-France Stirbois, alors député du Front National, déclarait au parlement: "le mélange des races est néfaste. [...] C'est sur les bases d'une nécessaire discrimination que s'est développée la longue histoire du droit constitutionnel en Occident".[1] Au même moment, les militants de S.O.S. Racisme, après avoir constaté l'échec de la stratégie réclamant la reconnaissance du droit à la différence, prônaient le métissage généralisé comme solution au repli identitaire. Résistant à la dilution actuelle du mouvement antiraciste, l'utopie de la panmixie demeure aujourd'hui l'horizon d'un grand nombre de discours de lutte contre le Front national. Pourtant, mixophilie ou mixophobie,[2] ces propositions ne sont à certains égards que deux aspects d'une même séquence idéologique. Dans les deux cas, le métissage n'est conçu que comme une résultante, celle d'un mélange, ce qui suppose résolue la question de l'existence de corps premiers. Je propose ici de renverser l'ordre de cette séquence et de suggérer qu'historiquement, le métissage a été l'occasion de processus collectifs de définition et redéfinition d'identités nationales et coloniales qui nous hantent encore aujourd'hui.

Certes, nul ne contestera qu'il est urgent d'agir en tant que citoyen contre la montée de toutes les exclusions. Mais ceci ne peut être fait que si nous adoptons une attitude réflexive par rapport à nos propres catégories, ce qui

---

[1] Cité dans M. Aubry and O. Duhamel, *Petit Dictionnaire pour lutter contre l'extrême droite* (Paris: Seuil, 1995).

[2] J'emprunte cette terminologie aux travaux de Pierre-André Taguieff. Voir en particulier *La Force du préjugé. Essai sur le racisme et ses doubles* (Paris: La Découverte, 1988).

implique entre autres de retracer la généalogie des usages possibles du thème du métissage afin de dépasser l'aporie de l'alternative entre refus et apologie. Une double analyse historique peut alors être proposée. D'une part, il s'agit de rendre compte de l'évolution d'un discours, celui qui s'est constitué autour de ce qu'on a appelé, le plus souvent de façon angoissée, "le problème du métissage dans les colonies". D'autre part, la réalité sociale ne s'épuisant pas dans ses aspects discursifs, l'analyse doit s'attacher à comprendre les enjeux et la mise en œuvre des pratiques de catégorisation et de codification de l'identité de ces enfants de la colonie qu'on a baptisés "métis".

Insister sur la nécessité d'un détour par les colonies pour comprendre les débats actuels sur l'immigration n'est pas un simple plaidoyer *pro domo* d'historien. Il est justifié par le lien, consubstantiel mais encore bien trop souvent négligé dans les sciences sociales,[3] entre colonisation et immigration. L'expression la plus évidente de la relation entre ces deux processus historiques est la présence dans les flux d'immigration depuis la fin des années 50 d'un grand nombre d'habitants des anciennes colonies. Mais en longue durée, il faut surtout noter que la plupart des discours centraux dans les débats sur l'immigration ont d'abord été élaborés dans les territoires coloniaux avant d'être importés en métropole. Ainsi, on peut tracer une généalogie de la figure de l'assimilation et de ses corrélats, comme la notion d'"inassimilabilité", depuis les débats coloniaux de la fin du dix-neuvième jusqu'à la recherche la plus contemporaine en sociologie de l'immigration.[4] On doit ici souligner le fait que

---

[3] Une exception notable est constituée par les travaux d'Abdelmalek Sayad qui montre comment l'immigration est à la fois déterminée historiquement par la colonisation et un prolongement de celle-ci et qui traite en particulier du "dédoublement" sociologique qu'elle impose. Voir en particulier "Les trois 'âges' de l'émigration algérienne en France" in *Actes de la Recherche en Sciences Sociales*, no. 15, 1977, pp. 59-81 et "Les Enfants illégitimes" in *Actes de la Recherche en Sciences Sociales*, no. 25, janvier 1979, pp. 61-82 (1ère partie) et no. 26-27, mars-avril 1979, pp. 117-132 (deuxième partie).

[4] Pour un emploi contemporain de la notion d'assimilation, on se

la continuité est surtout assurée par les acteurs dont la carrière coloniale se termine en métropole dans des institutions qui gèrent les questions d'immigration. C'est le cas par exemple du docteur Martial, auteur d'un grand nombre d'ouvrages et d'articles très souvent cités à l'époque sur les dangers de la "greffe interraciale".

Très largement ignoré par l'histoire coloniale traditionnelle, le "problème du métissage dans les colonies" a été constitué en question sociale de prime importance entre les années 1890 et les années 1950 dans l'opinion publique coloniale, notamment à travers la presse, mais aussi dans des sphères sociales spécifiques comme le milieu de la philanthropie ou l'administration coloniale. Il a été l'un des lieux principaux d'élaboration de discours et de pratiques visant à ordonner une société coloniale traversée par de multiples formes d'altérité. Parce qu'il remettait en cause la frontière entre "colonisé" et "colonisateur" – frontière fondamentale à l'entreprise coloniale mais aussi aux luttes de libération nationale[5] – le "problème du métissage" a alimenté toute une série de débats sur ce qu'était être indigène – et donc, dans le même mouvement, français.[6] Ces débats ont

---

reportera par exemple à l'ouvrage de Michelle Tribalat, *Faire France, Une enquête sur les immigrés et leurs enfants* (Paris: La Découverte, 1995). Sur la continuité en longue durée des discours sur l'assimilation, voir Abdelmalek Sayad, "Qu'est-ce que l'intégration?" in *Hommes et Migrations* (numéro spécial: Pour une éthique de l'intégration), no. 1182, 1994.

[5] Le métis n'a pas de place dans le moment de prise de conscience de la domination coloniale et de lutte contre celle-ci. L'œuvre d'Albert Memmi est à cet égard tout à fait significative. Après avoir décrit l'échec selon lui inéluctable du mariage mixte (*Agar*, Buchet-Chastel, 1955), il construit *Le Portrait du Colonisé*, précédé du *Portrait du Colonisateur* (Corrêa, 1957), à partir d'une opposition absolue qui reprend la logique binaire de la situation coloniale.

[6] Ces analyses doivent beaucoup aux travaux pionniers dans ce domaine d'Ann Stoler qui a bien mis en évidence les conflits qui entouraient les catégories qui divisent les sociétés coloniales (Voir en particulier: "Rethinking Colonial Categories: European Communities and the Boundaries of Rule", *Comparative Studies in Society and History*, 31,

surtout porté sur le statut à conférer aux enfants métis non reconnus par leur père. Ces derniers sont en effet au cœur de la "question sociale des métis" et leur statut par rapport à la citoyenneté sera l'objet de longs débats juridiques sur toute la période 1900-1950. En revanche, les enfants nés du mariage d'un Français et d'une indigène ou bien simplement reconnus et élevés par leur père en dehors des liens du mariage ne sont jamais décrits comme posant problème: ils sont Français par filiation et considérés comme tels par la société coloniale. En revanche, ceux qui, nombreux, ne bénéficient pas de la reconnaissance juridique sont légalement indigènes et, quand ils sont de plus abandonnés par leur père, décrits comme des parias aussi bien de la société coloniale que de la société colonisée, formant une strate de dangereux "déclassés", ferments de la contestation de l'ordre colonial. Ce "problème social" sera rapidement traduit dans le champ juridique avec une doctrine puis une jurisprudence qui déboucheront sur une série de décrets considérant que les métis nés de parents inconnus sont citoyens français. Ces décrets concerneront les métis nés en Indochine (1928), en Afrique Occidentale Française (1930), à Madagascar (1931), en Nouvelle-Calédonie (1933) et en Afrique Equatoriale Française (1944).

Dans la perspective adoptée ici, le premier enjeu d'une analyse du "problème des métis" relève de débats historiographiques sur la question nationale, en ce qu'il permet d'envisager les phénomènes d'"assimilation" et d'"exclusion" non pas comme contradictoires mais comme également constitutifs de pratiques de gestion de l'altérité. La plupart des recherches des dernières années sur la formation de l'identité nationale en France peuvent être classées dans deux catégories. La première s'attache à retracer le déploiement des mécanismes d'assimilation sociale en minimisant l'importance de "contre-tendances", constituées par exemple par l'affaire Dreyfus ou bien Vichy. La seconde insiste au contraire sur la continuité de la mise en œuvre d'une logique d'exclusion, fondée sur des mécanismes

---

pp. 134-61 et "Sexual Affronts and Racial Frontiers: European Identities and the Cultural Politics of Exclusion in Colonial Southeast Asia", *Comparative Studies in Society and History*, 34, pp. 514-51).

d'essentialisation des différences culturelles. Ces deux types de travaux s'appuient également sur des exemples tirés de la situation coloniale, insistant sur la "mission civilisatrice" pour les premiers et, pour les seconds, sur les "séductions du pittoresque",[7] productrices d'une altérité indépassable. Dans ce contexte historiographique, les processus de construction de l'identité métisse sont "bons à penser" en ce qu'ils permettent d'analyser comment s'est déployée concrètement la tension dialectique, jamais résolue, entre intégration et exclusion.[8]

Qu'on ne se méprenne donc pas. D'une certaine façon, il sera finalement bien peu question ici du métissage comme phénomène ou même encore des métis comme individus. Il s'agira surtout de comprendre les déterminants de la construction collective d'une question sociale – le "problème du métissage" dans les colonies – et la contribution de ces discours et de ces pratiques à la formation des contours d'un groupe social, celui des métis. Cette recherche s'inscrit donc dans la tradition du constructivisme sociologique. Elle considère la proposition selon laquelle les identités sont socialement construites, ressassée *ad nauseam* dans toute la littérature sur les groupes, non comme un horizon mais comme un postulat. Il devient alors pertinent de se demander quels sont les savoirs théoriques et pratiques engagés dans les processus de construction identitaire, les dispositifs, les enjeux et les stratégies qui le soutiennent. Comme l'a noté Ian Hacking, chaque catégorie a sa propre histoire au confluent de deux types d'actions. D'une part, une communauté d'experts créent une "réalité" reprise ultérieurement par les individus ainsi désignés. D'autre part, le comportement autonome de ces individus crée une réalité qui s'impose aux experts. L'importance relative de chacune

---

[7] Voir par exemple le livre de Herman Lebovics, *La "Vraie France", les Enjeux de l'identité culturelle", 1900-1945* (Paris: Belin, 1995; première édition, "True France", 1992).

[8] Cette tension est abordée en particulier dans les travaux de Gérard Noiriel, voir par exemple *Le Creuset Français, Histoire de l'immigration* (Paris: Seuil, 1988).

de ces actions varie selon chaque catégorie.[9] Sans mésestimer le rôle que les "métis" ont joué dans la construction de la catégorie, je voudrais surtout ici retracer comment des "experts", anthropologues, philanthropes, administrateurs coloniaux et enfin juristes ont contribué, chacun selon leur propre logique, à "fabriquer" des métis.

Dans cette perspective, le droit est particulièrement important pour comprendre les mécanismes sociaux de construction de l'identité. Pratique taxinomique, le droit classe conceptuellement en élaborant des catégories juridiques. Pratique créatrice d'identité collective, le droit produit bien plus que des communautés "imaginées" pour reprendre le concept de Benedict Anderson: il les fait exister concrètement en posant les limites des actions individuelles et collectives. Dans les sociétés modernes, le système d'identification des individus et des groupes est pris de plus en plus dans le juridique. Les "métis" n'ont pas échappé à cette emprise du droit. Dans des sociétés coloniales où la ligne médiane d'opposition passe entre citoyens et indigènes, un long débat juridique entre les années 1890 et la fin des années 1940 a porté sur le statut des métis: devait-on les considérer comme citoyens ou bien comme sujets? Après une longue tradition jurisprudentielle contraire, une série de décrets pris entre 1928 et 1944 dans les colonies viendra résoudre la question en intégrant les métis dans la citoyenneté française. Ces décrets présentent le grand intérêt d'inclure explicitement le mot "race" dans leur énoncé, ce qui représente une innovation radicale dans le droit français. En effet, même le Code Noir, promulgué en 1685 pour réglementer les relations entre maîtres et esclaves, ne comporte pas ce mot dont l'usage moderne n'est alors pas encore précisé. Si le concept de race, dont la signification moderne émerge à partir du milieu du dix-neuvième, est bien le référent implicite de tout le droit colonial, le terme lui-même en est absent jusqu'au décret de 1928 fixant le statut

---

[9] Ian Hacking, "Making up People" in Edward Stein ed., *Forms of Desire, Sexual Orientation and the Social Constructionist Controversy* (New York: Garland Publishing, 1990).

des enfants nés de parents inconnus en Indochine.[10] Tout se passe donc comme si c'était à l'occasion du métissage que le droit français avait d'abord rencontré la race. Notons qu'il ne s'agit pas là de n'importe quel métissage, puisque ces décrets ne concernent que les enfants illégitimes, des hybrides en ce qu'ils sont aussi des bâtards. Les enfants métis reconnus par leur père sont citoyens français et ne suscitent nullement l'attention des juristes. Notons également les enjeux de cette apparition de la race dans le droit: il est question ici d'attribuer aux métis la qualité de citoyen français. Ce sont donc les relations entre race, citoyenneté et statut familial qu'engagent les codifications de l'identité métisse. Elles posent la question des relations entre le "civil" et le "civique" dans la définition de la citoyenneté et ouvrent sur une articulation de la dimension anthropologique et de la dimension politique de la citoyenneté.

L'émergence de la "question sociale" des métis et les débats juridiques sur le statut des métis n'ont de sens que dans les colonies régies par le statut de l'indigénat puisqu'ils impliquent une distinction de statut entre "citoyens" et "indigènes". De nombreuses colonies ont donc échappé à de telles discussions: celles dont les habitants sont sortis des fers pour être sacrés citoyens en 1848 (c'est-à-dire les "vieilles colonies", Guadeloupe, Martinique, Guyane et Réunion) ou bien encore les colonies où la citoyenneté a été octroyée plus tard, comme à Tahiti (1881) ou dans les quatre communes du Sénégal (1916). Toutes ces régions ont justement été le lieu de métissages nombreux et intenses. Il ne s'agit pas de nier, naturellement, l'importance sociale du phénomène mais

---

[10] L'article premier de ce décret indique: "Tout individu, né sur le territoire de l'Indo-chine de parents dont l'un, demeuré légalement inconnu, est présumé de **race française**, pourra obtenir, conformément aux dispositions du présent décret, la reconnaissance de la qualité de citoyen français." Cela contredit les travaux récents sur la question et en particulier ceux de Danièle Lochak qui date du décret-loi Marchandeau du 21 avril 1939 la première occurence du terme "race" dans la législation française. Voir Danièle Lochak, "La race: une catégorie juridique?" in *Mots, Les langages du politique*, no. 33, décembre 1992, numéro spécial "Sans distinction de... race".

seulement, pour notre problématique, de noter qu'il n'est jamais dit dans le lexique de la citoyenneté. Dans les archives administratives de ces régions, les références au métissage et plus globalement aux différences de couleur n'apparaissent jamais qu'à travers de très rares allusions alors qu'elles abondent dans les documents de statut privé (mémoires, récits de voyage, observations anthropologiques). Ceci s'explique par le statut de citoyenneté octroyé par une République pour qui l'égalité implique la négation de l'origine. Il faut également noter la rareté des traces du métissage dans les archives de l'Algérie, ce qu'on peut tenter d'expliquer par au moins trois causes:[11] la colonisation familiale mais aussi la violence de l'antagonisme religieux expliquent une moins grande fréquence des unions mixtes; de plus et surtout, la racialisation des populations d'Afrique du Nord était certainement moins intense que pour d'autres colonies. Or il semble bien que la perception d'une différence raciale était, en plus de l'existence d'une distinction légale entre indigènes et citoyens, essentielle à l'émergence du thème du métissage comme "problème social". C'est donc surtout dans des colonies telles que l'Indochine, la Nouvelle-Calédonie, Madagascar, l'Afrique Occidentale et Equatoriale que l'on peut tracer une généalogie des discours et des pratiques de codification de l'identité métisse en relation avec la notion de citoyenneté. Notons qu'ici, comme dans de nombreux autres domaines coloniaux, l'Indochine a fonctionné comme un laboratoire et que la plupart des exemples disponibles émanent de cette colonie.

Pratique centrale pour la construction des identités collectives, le droit fonctionne comme un champ seulement relativement autonome: les juristes se saisissent de ce qui apparaît à un moment donné comme une "question sociale", c'est-à-dire une question posée d'abord dans le champ politique. Dans le cas des métis, c'est surtout l'administration coloniale mais aussi un certain nombre de philanthropes qui ont posé les termes du problème. Dans leur travail de

---

[11] Sur cette question, voir la contribution de Claude Liauzu dans ce volume.

codification, les juristes empruntent également au savoir d'un certain nombre d'experts: ce sont les notions que les anthropologues physiques élaborent dans la seconde moitié du dix-neuvième siècle qui vont servir d'armature conceptuelle au débat juridique sur les races. On peut ainsi mettre en évidence des séquences historiques de codification de l'identité métisse, et montrer comment sont intervenus successivement un certain nombre d'acteurs, d'anthropologues puis de philanthropes, d'administrateurs et enfin de juristes, qui, en fonction de leur propre raison classificatoire, ont cherché à assigner une juste place aux métis. Dans chaque champ disciplinaire, on peut voir se transformer, à l'occasion d'une réflexion sur le métissage, les significations du concept de race, les représentations de la citoyenneté ainsi que leurs relations réciproques.

Le métissage, concept central dans le champ de l'anthropologie

Les anthropologues n'ont certes pas limité leurs travaux sur le métissage aux seuls cas coloniaux. Ils sont pourtant partie prenante de l'élaboration du concept de métissage dans les colonies, puisque leurs concepts vont se diffuser auprès de l'administration coloniale à travers les cours de l'Ecole coloniale et plus généralement auprès de l'élite coloniale à travers le succès de leurs thèses, notamment dans les milieux médicaux.[12] Dans un premier temps, entre les années 1860 et 1914, l'anthropologie physique, qui recouvre alors l'intégralité du champ de l'ethnologie française, monopolise le discours sur le métissage. Elle établit la proposition selon laquelle c'est parce qu'ils sont des hybrides raciaux que les métis sont aussi des hybrides sociaux. La rencontre de la méthode et de l'objet n'est pas fortuite. On peut même avancer que c'est pour penser à son aise le métissage que l'anthropologie se

---

[12] Sur la diffusion de l'anthropologie physique, voir Nelia Dias, *Le Musée d'Ethnographie du Trocadéro (1878-1908)* (Paris: Ed. du CNRS, 1991).

constitue comme discipline autonome en France. Ainsi Paul Broca fonde en 1859 la Société d'Anthropologie de Paris après le rejet de son mémoire sur le métissage considéré comme trop polémique par la Société de Biologie. Dans ce texte, intitulé *Notes sur l'Ethnologie de la France*, Broca établit une distinction entre deux types de métissage qui servira de lieu commun à tous les commentaires scientifiques ultérieurs. Le premier type, entre races proches, est décrit comme "eugénésique", c'est-à-dire tendant à l'amélioration de la race, et présenté comme constitutif du peuplement de la France. En revanche, le métissage entre races éloignées est dit "dysgénésique", c'est-à-dire produisant des enfants stériles entre eux; le prototype en est évidemment le métissage colonial.

Cette distinction inscrit d'emblée le métissage comme catégorie à la fois scientifique et politique de la raison anthropologique. Politique, parce qu'il est au centre du soutien apporté par les anthropologues au projet républicain. Le concept de métissage apparaît alors comme caution au nouveau mythe des origines que la République veut faire triompher après deux siècles de polémique sur le rôle du conflit entre Francs et Gaulois.[13] De même qu'un Michelet puis un Lavisse s'attachent à décrire la lente intégration des provinces dans un Etat centralisé, Broca scrute le progressif métissage des populations originaires. Qu'il s'agisse des Celtes et des Kimris plutôt que des Gaulois et des Francs importe finalement peu: l'avènement de la République marque la résolution de la dialectique politique et biologique qui a travaillé l'histoire de France, ce qui exclut naturellement tout futur métissage.

Les usages proprement scientifiques de la catégorie de métissage sont doubles. L'appartenance commune à l'espèce se prouve par la possibilité de produire des hybrides. Le métissage pose donc à nouveau la question de l'unité de

[13] Sur ce point, voir Jean-Loup Amselle, *Vers un multiculturalisme français* (Paris: Aubier, 1996) et François Furet et Mona Ozouf, "Deux légitimations historiques de la société française au 18ème siècle: Mably et Boulainvilliers", *Annales E.S.C.*, mai-juin 1979, pp. 438-450.

l'humanité à un moment de débats intenses entre tenants du monogénisme et du polygénisme. Méthodologiquement, le métissage est aussi l'occasion d'une réflexion sur la relation entre les indices extérieurs et visibles de la race et leurs fondements invisibles, reformulation de l'antique questionnement sur la façon dont on peut déchiffrer les âmes en scrutant les corps. Tout comme dans la psychanalyse naissante, le travail des anthropologues physiques s'effectue en effet sous le signe d'un paradigme de l'indice, selon lequel seuls sont signifiants les détails, forme de l'oreille, ovale de l'œil, boucle du cheveu.[14] Ils s'intéressent particulièrement aux cas d'individus issus de plusieurs générations de métissage qui leur permettent de tester la validité de la sémiologie des détails raciaux qu'ils élaborent.

Mais le phénomène du métissage remet aussi en cause l'objet central de la discipline à savoir l'étude des races comme unités discrètes. C'est pourquoi aux tropes de la monstruosité et à celui de l'infécondité, les anthropologues de la fin du dix-neuvième ajoute celui de l'instabilité. Le métis devient ingouvernable, non seulement pour la raison anthropologique mais aussi par les forces du contrôle social. Se met alors en place une séquence qui sera reprise constamment dans les colonies: les métis sont instables physiquement (parce que tiraillés entre deux hérédités) et donc psychologiquement (ils sont animés par des instincts contraires) et donc finalement socialement: ils forment une strate de "déclassés", potentiellement criminels. Ainsi, Armand Corre, médecin colonial en Guadeloupe, dans un ouvrage intitulé *l'Ethnographie criminelle, d'après les observations et les statistiques judiciaires recueillies dans les colonies françaises,* affirme:

> Le mulâtre est l'hybride social en même temps que l'hybride physique. C'est l'élément troublé et troublant. Il semble que chez lui, les molécules des activités physiques de deux races aussi opposées de caractère, de

[14] Voir Carlo Ginzburg, *Mythes, Emblèmes, Traces* (Paris: Flammarion, 1989).

tendances et d'habitudes, éprouvent des affinités instables que l'éducation elle-même a peine à retenir hors d'état de conflit." (Paris: Reinwald et Cie, 1984, p. 425)

Le métissage est donc un objet à la fois central et très gênant pour la méthode anthropologique, une obsession et un point aveugle de la discipline. Ceci explique que malgré un très grand nombre de publications sur le sujet, la littérature anthropologique bruisse d'appels récurrents à des enquêtes systématiques et livre le constat toujours recommencé d'une ignorance absolue sur les questions du métissage. Ayant été à l'origine de l'anthropologie physique comme discipline, le métissage, semble-t-il, contribuera aussi à sa disparition en la détournant vers des interrogations plus sociologiques. Ainsi c'est à l'occasion d'un questionnaire systématique sur le métissage publié en 1908 par les *Bulletins de la Société d'Anthropologie de Paris* qu'on voit apparaître la catégorie de "statut social" dissociée pour la première fois de son contenu biologique. Notons cependant que le chemin sera long avant que l'anthropologie physique ne soit entièrement discréditée, et que le métissage restera l'une de ses grandes préoccupations dans l'Entre-deux-guerres. La figure du métis ingouvernable sera alors importée des colonies pour servir à décrire les dangers de l'immigration en métropole sous la plume par exemple d'un docteur René Martial dont on oublie souvent qu'avant de devenir un responsable des services de l'immigration, il a d'abord servi dans les colonies. Ce n'est que dans les années 50 que le concept de race cessera de s'imposer comme une évidence scientifique. Le schème du métissage sera encore une fois investi dans cette entreprise de délégitimation. Ainsi selon les déclarations de 1951 du comité de savants rassemblés par l'UNESCO, c'est parce qu'il y a toujours eu métissage que la notion de race est inopératoire pour décrire les populations du monde.

Dans la société coloniale, c'est l'initiative privée qui va prendre en charge les premiers métis abandonnés. Elle va ainsi contribuer très largement à construire certains des tropes principaux du "problème moral" posé par l'existence des métis, identifiant les garçons comme futurs délinquants ou révolutionnaires désirant se venger d'un père qui les a abandonnés et décrivant les filles comme menées sur le chemin de la prostitution par des mères peu scrupuleuses.

Dès le début des années 1890, sont mis en place en Indochine des orphelinats pour "métis abandonnés"[15] qui seront ultérieurement déclarés d'utilité publique.[16] "Abandonnés" certes, mais seulement par leur père, certains de ces enfants sont arrachés à leur mère quand celle-ci est jugée indigne selon les termes de la loi de 1889 sur la "protection des enfants maltraités et moralement abandonnés." En séparant les enfants métis des autres enfants, ces institutions leur donnent une visibilité sociale dans la société coloniale. Mettant constamment en œuvre une logique biologisante de l'appartenance à la nation, les philanthropes contribuent fortement à la racialisation des sociétés coloniales. Mais, il faut noter que cette logique est toujours utilisée dans une visée d'intégration des métis dans la communauté des citoyens. Ainsi, en 1917, le président de la société de protection de l'enfance du Cambodge sollicite du gouverneur la naturalisation d'un jeune homme, de "père français" et de "mère franco-cambodgienne" en le présentant

---

[15] Des institutions semblables sont créées à Madagascar en 1900, en Afrique à partir des années 20.

[16] L'antériorité de l'initiative privée et la continuité entre le travail des philanthropes et l'action de l'Etat existent aussi en métropole et ont été notées par tous les historiens de l'enfance. On pourra consulter en particulier: Catherine Rollet-Echalier, *La Politique à l'égard de la petite enfance sous la Troisième République* (Paris: INED, 1990), 2 volumes et Rachel Fuchs, *Abandoned Children, Foundlings and Child Welfare in Nineteenth-Century France* (Albany: State University of New York Press, 1984).

comme “3/4 blanc”.[17] De la même façon, ce sont ces institutions charitables qui vont les premières porter la question du statut juridique de ces métis devant les tribunaux et réclamer qu’on leur reconnaisse la qualité de Français du fait de leur appartenance à la “race française”.

L’administration coloniale

Après les philanthropes et sans les remplacer complètement, ce sont les administrateurs coloniaux qui vont s’emparer du thème du métissage, à partir de la fin des années 1890. Pour eux, comme pour les philanthropes, les métis sont moins des hybrides que des bâtards, des enfants illégitimes. La pratique de ces fonctionnaires a été nourrie de l’enseignement dispensé par les anthropologues à l’Ecole Coloniale mais aussi orientée par les fins propres de la logique administrative. Bien que s’inscrivant en continuité avec l’action philanthropique puisque par exemple un grand nombre d’orphelinats seront déclarés d’utilité publique, elle implique la mise en œuvre de pratiques bien spécifiques à propos du métissage.

En France, la fin de siècle est hantée par le déclin démographique expliqué en terme de dégénérescence de la race, terme dont l’usage ici ne recoupe pas celui des anthropologues. Pour les démographes, il ne s’agit plus de déterminer le type idéal d’une anatomie spécifique mais de connaître, pour les maîtriser, des flux complexes, ceux de la natalité, de la mortalité et de l’immigration. La race devient synonyme de population considérée comme un collectif vivant et dont l’équilibre global dépend de la santé des cellules familiales qui la composent. En tant que telle, elle passe dans le champ de contrôle du savoir et d’intervention du pouvoir. C’est le moment où l’Etat se constitue comme Providence, stimulant la natalité et protégeant l’enfance abandonnée

---

[17] Lettre du président de la société de protection de l’enfance au Cambodge au gouverneur général de l’Indochine, 10 février 1917 (Centre des Archives d’Outre-Mer [désormais CAOM], Gouvernement Général de l’Indochine [désormais GGI]), [sans page].

avec la loi de 1889 sur les enfants maltraités ou moralement abandonnés et la loi de 1904 sur les enfants assistés. Ce bio-pouvoir ne s'exerce pas qu'en métropole.[18] Dans les colonies aussi se mettent en place les moyens d'agir sur le volume de la population de "la plus grande France". Dans ce contexte, le métissage est décrit comme posant un "problème social et moral". Cela, non pas tant parce qu'il produit des êtres racialement indéterminés mais parce qu'il fait grossir dans les faubourgs des métropoles de l'Empire une population d'enfants illégitimes, parias de la société coloniale comme de la société colonisée et leaders potentiels de mouvements de rébellion contre ces pères qui les ont abandonnés.

La dimension raciale intervient dans le traitement administratif du "problème des métis" dans la mesure où la notion de race n'est pas une pure catégorie biologique et se construit en lien avec des normes de comportement sexuel et d'organisation domestique. Qu'ils soient issus de relations passagères ou non, les métis sont la preuve vivante de la déchéance de certains Français, qui se sont "indigénéïsés" – on dit parfois plus violemment "bougnoulisés"– et, en cela, ils représentent une menace pour le prestige des colonisateurs auprès des indigènes. Inassimilables dans la société coloniale, les métis sont décrits comme reproduisant les comportements qui les ont portés au monde. Voleurs et prostitués, ils sont les véhicules de toutes les contaminations. Incapables de constituer des unités familiales stables, ils font peser une menace sur l'équilibre démographique de la colonie, alors qu'ils pourraient être un "trait d'union naturel entre l'occupant et l'indigène".[19] "Le problème social et moral" du métissage est donc un problème politique de maintien de la

---

[18] Voir Michel Foucault, *Histoire de la Sexualité, Volume I, La Volonté de savoir* (Paris: Gallimard, 1976). Pour une reflexion sur l'application aux colonies des analyses de Foucault, voir Ann Stoler, *Race and the Education of Desire. Foucault's "History of Sexuality" and the Colonial Order of Things* (Durham: Duke University Press, 1995).

[19] C. Crevost, comptable de la marine à l'Arsenal de Saigon, *La question des métis est un problème social et moral dont la solution ne doit envisager que l'élément spécial des métis Français-Annamites*, 24 septembre 1898 (CAOM/GGI), [sans page].

domination coloniale qui utilise une notion de race construite en relation à des normes de comportement sexuel et d'organisation domestique. Comme "ce qui manque aux métis, c'est la famille, c'est l'honnêteté dans laquelle tous les membres solidaires de l'honneur de cette famille doivent concourir à son soutien", l'Etat doit devenir un "père protecteur qui prend le relais de ces Français qui ont failli à leur responsabilité".[20]

La principale pratique administrative suscitée par "la question du métissage" concerne l'administration de la frontière du groupe national. Dans un premier temps, se met en place un contrôle de la sexualité. Une série de circulaires vient par exemple rappeler à l'ordre les fonctionnaires en situation de concubinage dans un contexte où "la dignité de la vie privée est le premier devoir d'un administrateur respectueux de ses fonctions."[21] Puis est lancée une longue campagne de lutte contre les "reconnaissances frauduleuses" que pratiquent des "petits blancs" contre rémunération à ceux qui peuvent ainsi acheter leur citoyenneté à bon prix. Un long débat juridique est alors initié qui va aboutir à une série de décrets qui vient remettre en cause l'un des principes fondamentaux du Code Civil, à savoir "l'honneur et le repos des familles".[22] Alors qu'en métropole, selon ce principe, le ministère public ne peut en aucun cas intervenir pour rectifier des reconnaissances d'enfants naturels, ces décrets estiment que dans ces territoires, l'ordre public est intéressé à l'annulation des reconnaissances frauduleuses qui "introduisent des intrus dans l'élément français et dans le corps électoral de la colonie".[23] Il y a bien ici confluence entre contrôle des composantes de la population, filiation,

---

[20] *Ibid.*

[21] Lettre du Résident Supérieur du Cambodge au Gouverneur Général de l'Indochine, 3 octobre 1901 (CAOM/GGI).

[22] Ces décrets concernent les colonies suivantes: Madagascar (1916); AEF et Indochine (1918); Océnanie (1919); AOF, Nouvelle-Calédonie et Inde (1922).

[23] Rapport du procureur général, *Des reconnaissances frauduleuses d'enfants naturels en Indochine* (Hanoi: Imprimerie tonkinoise, 1917), p. 7.

perçue comme une institution publique et privée et droits politiques associés à la citoyenneté.

Le statut juridique des métis

Le troisième moment de construction de l'identité métisse dans les colonies est constitué par un mouvement de codification juridique dans les années 20 et 30.

Le Code de la Nationalité de 1889 a défini l'accession à la citoyenneté à partir à la fois du "droit du sang" (tout enfant né de parents français est français) et du "droit du sol" (le droit du sol dit simple s'applique à tout enfant né en France de parents étrangers qui devient automatiquement Français à sa majorité; le droit du sol double concerne les enfant nés en France de parents étrangers eux-mêmes nés en France et leur confère la nationalité à la naissance). L'intention du législateur était en 1889 de fixer les droits et devoirs des Français par rapport aux immigrés, alors dans la très grande majorité Européens. Etendu aux colonies en 1897, le Code de la Nationalité se superpose à un autre grand partage qui oppose cette fois Français et Européens d'une part, aux sujets indigènes et assimilés, selon une ligne raciale qui demeure implicite. En effet, l'article 17 du décret de 1897 précise qu'"il n'est rien changé à la situation des indigènes".[24] Le décret d'application transporte donc dans un monde social radicalement différent un code qui avait pour objet initialement de solidifier la définition juridique de "Français" par rapport à celle d'"Etranger".

De tous les problèmes juridiques qui vont surgir de l'exportation vers les colonies du code de la nationalité et de sa logique métropolitaine, la question des métis non reconnus est sans doute le plus important. En effet, le code de la nationalité considère comme citoyen français tout enfant né aux colonies du mariage d'un Français avec une indigène. Le statut des métis reconnus est donc aussi peu problématique

---

[24] Décret du 7 février 1897, portant règlement d'administration publique, fixant les conditions d'attribution de la nationalité française dans les colonies. Voir Ministère de la justice, *La Nationalité française, textes et documents* (La documentation française, 1986), pp. 157-60.

pour les juristes qu'il ne l'était pour les administrateurs coloniaux. L'identité des enfants non reconnus par leur père pose en revanche des problèmes qui trouveront une formulation spécifique dans le langage du droit. Un des articles de la loi de 1889 reprend l'article 8§2 du Code Civil et précise que "les enfants nés de parents inconnus sur le territoire français sont Français." Or, le décret de 1897 précise, on l'a vu, qu'"il n'est rien changé dans les colonies à la condition des indigènes". La logique coloniale quant à elle rend impensable que tout enfant indigène soit automatiquement intégré dans la communauté des citoyens, du seul fait qu'il ait été abandonné sur un territoire de l'Empire. D'autant que les enfants non reconnus en droit sont ceux qui n'ont pas été reconnus devant l'état civil: étant donnée l'organisation encore très embryonnaire des état civils indigènes, presque tous les enfants indigènes sont "nés de parents inconnus". Ce cercle vicieux juridique sera pendant longtemps discuté par les praticiens et doctrinaires du droit colonial. Il révèle que la logique territoriale qui prévaut dans le cas des enfants inconnus en métropole n'a pas la même effectivité dans les colonies qui sont pourtant bien, au regard du droit français et du droit international, des territoires français. Il indique également que les relations entre "droit du sol" et "droit du sang" sont bouleversées en milieu colonial.

Cherchant à résoudre ce cercle vicieux, les juristes ont clairement écarté la possibilité d'un troisième statut, intermédiaire entre celui de "citoyen" et de "sujet", comme impensable, non pas en raison de l'absurdité juridique qu'il représenterait mais en vertu d'un argument politique (un tel statut contribuerait à stabiliser un groupe intermédiaire de "déclassés dangereux") et très souvent scientifique (un des thèmes de l'anthropologie étant que les métis retournaient après un certain nombre de générations à l'une des races mères). Progressivement pourtant, un intérêt pour les métis et leur situation se développe dans la science juridique et l'on voit apparaître de nombreuses prises de position en faveur de l'attribution de la citoyenneté française aux métis non reconnus par leur père. En plus de l'argument proprement juridique selon lequel en cas de conflit de statut, c'est toujours le plus favorable qui l'emporte en droit français, les juristes invoquent alors des justifications qu'on voit se répéter dans la presse des années 20: attribuer la citoyenneté aux métis désamorcerait une cause d'agitation sociale à un moment où s'organisent les premières protestations de la domination coloniale. Pour régler le cercle vicieux juridique qui s'oppose à leur accession à la citoyenneté, il suffit de prouver non une filiation déterminée mais l'origine française, c'est-à-dire finalement une filiation collective. C'est l'introduction de cette logique de l'origine qui est antinomique avec les principes républicains.

Cette position influencera une nouvelle jurisprudence, qui vient contrecarrer celle qui prévalait jusque dans les années 20, remarquablement hostile aux métis non reconnus, en leur refusant systématiquement la qualité de citoyen. Une fois posée, la notion d'origine génère à son tour toute une série de problèmes, dont celui du décèlement du métissage, qui sera résolue par de nouveaux emprunts à la science anthropologique. Une décision de la cour d'appel de Hanoi en 1926 consacrera cette jurisprudence nouvelle:

> La preuve de la race peut être faite par tous modes de preuves, preuves par écrit, preuves par témoins, preuves par simples présomptions, notamment par l'aspect physique de l'enfant, et au besoin en ayant recours à une expertise médico-légale destinée à préciser les caractères ethniques du sujet; la possession d'état, prévue par le code civil à propos de filiation légitime, pouvant s'appliquer à toute espèce d'état, peut également être admise pour établir la race dudit enfant.
>
> Il résulte des constatations faites par la Cour et des renseignements produits aux débats que V. est de race mixte, l'un de ses auteurs n'étant ni indigène ni assimilé aux indigènes; V. ayant comparu à l'audience [...], la Cour a constaté qu'il réunissait sans aucun doute possible les caractères physiques du métis européo-annamite; d'autre part, il a reçu une instruction et une éducation françaises et a toujours vécu dans un milieu européen; la qualité de citoyen français ne lui a jamais été contestée, il a fait son

service militaire dans un régiment français, il est actuellement employé au titre européen à la Société des Anthracites du Tonkin; dans le milieu social où il vit, il a été reconnu constamment pour être de race franco-indigène; ainsi, il a la possession d'état d'un individu français.

Cette décision servira de modèle pour la rédaction de toute une série de décrets qui vont réglementer le statut des métis dans les colonies en Indochine en 1928, en Afrique Occidentale Française en 1930, à Madagascar en 1931, en Nouvelle Calédonie en 1933, en Afrique Equatoriale en 1944. Introduisant le mot "race" dans le droit français, ils consacrent aussi l'existence officielle de la catégorie de métis, en portant le vocable au Journal Officiel de la République française. Notons ici que ces deux concepts sont utilisés non pas avec des visées discriminatoires mais au contraire avec une volonté d'inclure les métis dans la communauté nationale.

La notion de race invoquée ici est double. Elle a évidemment une dimension biologique puisque la preuve de la race est fondée sur la possibilité d'une sémiologie raciale comme chez les anthropologues. Mais la race française se prouve aussi par la "possession d'état". Cette dernière notion est ancienne et a d'abord émergé dans le champ du droit de la propriété: elle signifie que la possession de fait implique un droit réel sur la chose possédée. Par extension, elle a intégré le droit de la filiation qui en cas d'absence de reconnaissance officielle peut se prouver par la continuité d'une relation parentale. Ici, elle implique que la preuve de la race est subordonnée à une "réputation" dans une communauté donnée, ce qui permet aux juristes d'intégrer dans leur jugement les catégories fonctionnant de manière informelle dans une société locale et donc de relativiser, en la socialisant, la notion de race. Enfin, la mention de la preuve par "l'éducation et l'instruction françaises" montre que les logiques culturelles et raciales, loin d'être antinomiques sont complémentaires dans l'organisation des sociétés coloniales.

Conclusion

Ce panorama historique de l'évolution du discours sur le métissage et des pratiques de catégorisation de l'identité métisse ouvre sur trois réflexions. La première concerne le rôle historique de la notion de race dans la construction de l'identité nationale française. Loin d'avoir été totalement absente des processus de définition de l'identité française, on l'a vu, la race a été l'un des critères d'inclusion dans la communauté des citoyens. Mais il s'agit là d'une notion de race qui n'a jamais été réduite à son seul noyau biologique et qui est inextricablement liée à des normes de moralité et de comportements culturels. Ce constat conduit à nuancer l'opposition entre "jus soli" et "jus sanguinis": les débats sur le métissage indiquent qu'il s'agit plutôt de logiques complémentaires que contradictoires, puisque par exemple la "race" française se prouve par l'implantation locale.

Ce constat historique permet d'interroger dans un deuxième temps le bien-fondé des analyses qui ont dans les dernières années insisté sur l'existence d'un néo-racisme. Je pense ici aux travaux de Pierre-André Taguieff ou bien d'Etienne Balibar[25] qui opposent un racisme ancien, fondé sur une conception biologique de la race, à une nouvelle forme qui ne mettrait plus en relation inégalitaire que des cultures. Un racisme sans race, en somme. L'histoire de la relation coloniale semble au contraire montrer que le racisme a toujours déjà été une construction complexe, mêlant de façon inextricable biologie et culture, relation dans laquelle chaque terme est défini par l'autre. Le troisième axe de questionnement concerne les usages de la notion d'hybridité qui fait florès dans les "études post-coloniales", un courant représenté surtout dans les pays anglo-saxons. L'analyse historique de la question des métis montre bien que l'ère coloniale, loin d'être le moment des identités claires et distinctes, était déjà constamment travaillée par les

[25] Voir Etienne Balibar et Immanuel Wallerstein, *Race, Nation, Classe* (Paris: La Découverte, 1990) et Pierre-André Taguieff, *La Force du Préjugé, Essai sur le racisme et ses doubles* (Paris: La Découverte, 1988).

mouvements, les ambiguïtés et les chevauchements identitaires, qui ont provoqué un immense travail collectif de codification.

LES LUMIERES:
DE LA "DEGENERATION NOIRE" A LA "PERFECTIBILITE" BLANCHE

Louis Sala-Molins

Condorcet: "Les Noirs se confondront absolument avec les Blancs".
Réflexions sur l'esclavage des nègres (chap. XI, § 1)

Avant d'en venir à cette "confusion absolue" des Noirs avec les Blancs figurant ici en exergue, Condorcet a fustigé l'esclavage, brocardé les cruautés des maîtres, vilipendé l'aberration juridique de l'institution, pleuré toutes les larmes de ses yeux sur la déréliction des femmes noires et de leurs enfants, théorisé son moratoire de soixante-dix ans, ironisé sur la prétention des maîtres à un dédommagement le jour de l'abolition. Il lui fallait encore asseoir sur quelque bon sens les deux termes d'une alternative: ou bien l'esclavage à perpétuité, ou bien l'esclavage pour un temps. La philosophie, voire même la physiocratie, légitimaient-elles une autre alternative: l'esclavage pour un temps ou l'abolition immédiate? Non. Philosophie et physiocratie interdisaient d'envisager l'hypothèse d'une abolition générale et rapide: trop dangereuse pour la paix dans les colonies, trop néfaste pour l'économie "métropolitaine".[1]

Il convenait donc de gérer au mieux pour une longue période une pratique dont Condorcet dénonçait la monstruosité de la théorie. On le ferait, mais, grâce au ciel, "en gémissant sur cette espèce de consentement forcé que nous donnons pour un temps à l'injustice".[2]

Et comment réussir – sinon dans le droit, du moins dans le quotidien le plus plat – à combler ce fossé que la nature a creusé, par la couleur, entre le Noir et le Blanc, dont

---

[1] Condorcet, *Réflexions* (Neufchâtel et Paris, 1788), passim, et notamment chapitre 5.

[2] Condorcet, *Ibid.*, chap. 9, § 1.

la culture et la loi ont raidi les bords pour le rendre à jamais infranchissable? Par le métissage, dont les effets sur la couleur n'aboutiront pas pleinement dans la brièveté du moratoire de soixante dix ans, mais très vraisemblablement dans beaucoup moins que... quelques siècles.

Voici donc. Tout est en place. Il n'y a plus de maîtres ni d'esclaves. Nous avons épuisé le moratoire. Il n'y a plus que des Blancs et des Noirs (on néglige de parler, pour la circonstance, des métis ayant vécu en cette qualité la période en question). Tout s'est passé dans le calme et la sérénité. Tout le monde est prêt pour la prochaine étape:

> Il faut considérer ici la culture par les nègres libres, et la culture par les blancs libres. En effet, il y aura nécessairement dans chaque colonie, pendant les premiers temps, deux peuples, dont la nourriture, les habitudes et les mœurs seront différentes. Au bout de quelques générations, à la vérité, les noirs se confondront absolument avec les blancs, et il n'y aura plus de différence que par la couleur; le mélange des races fera ensuite disparaître, à la longue même, cette dernière différence.[3]

Ne demandons pas à Condorcet si cette différence se gomme au bénéfice d'une immersion de la blanchitude dans la négritude. Rien dans le contexte idéologique ne saurait étayer pareille hypothèse, malgré le nombre incomparablement supérieur des Noirs dans les Iles à sucre. La "confusion absolue des Noirs avec les Blancs" n'aurait pu être énoncée dans son scandaleux envers; Condorcet n'aurait pas pu écrire "confusion absolue des Blancs avec les Noirs". En toute rigueur littéraire les deux énoncés se valent, la "confusion" étant "absolue" dans les deux cas. Mais nous sommes dans un temps où la perfectibilité a été érigée en référence incontournable de toute approche des réalités anthropologiques. Et l'anthropologie se lit, depuis Buffon au moins et sans que la pensée "progressiste" en démorde, en schéma éthique (ou politique) et physiologique (ou

---

[3] Condorcet, *Ibid.*, chap. 11, § 1.

psychologique) à la fois. Noircir les Blancs équivaudrait à rebrousser le chemin de la "perfectibilité", à refaire du chemin en dégénéréscence, à replonger vers on ne sait quelle bestialité originaire vers laquelle d'autres se tournèrent dans un brumeux passé. Dans cette brume, les Noirs. C'est donc une fois encore (car le thème est partout pendant que les Lumières brillent) cheviller au niveau zéro de l'humanité le Noir que de promettre aux Blancs, la science aidant, son blanchiment définitif au bout de quelques générations.[4]

Bref, le métissage n'est politiquement acceptable ici qu'en tant que promesse de disparition à terme de l'infamie de la noirceur qui stigmatise dégénérescence, esclavage, animalité.

Condorcet a beau nous avoir l'air de vouloir "dé-codifier" le Code Noir.[5] C'est à travers lui qu'il convient d'apprécier la portée et les limites de sa tentative. Et c'est, pour ce qui concerne le métissage, dans les apparentements des articles du Code Noir aux ordonnances hispaniques sur le traitement des esclaves (Noirs, Amérindiens, Blancs) datant du 16ème siècle et au-dela, promulgués pour les colonies, qu'il convient de repérer les débuts, hésitants ou brutaux dans leurs formulations, du gommage de l'irrecevable noirceur chez le métis, juridiquement tenu à l'écart de l'humanité blanche, mais porteur d'une promesse d'accomplissement – craint ou salué – d'humanité selon les besoins, les moments, les contextes.[6] On comparera donc avec profit vieilles ordonnances hispaniques et lois du Code Noir français d'une part, Code Noir français et Codes Noirs espagnols d'autre

---

[4] Fondamentaux, à ce propos, les travaux de Carminella Biondi et de Michèle Duchet. Je me réfère de préférence à Carminella Biondi in L. Sala-Molins, *Les Misères des Lumières. Sous la raison, l'outrage* (Paris: Laffont, 1992).

[5] Tous les renvois au Code Noir le sont à mon édition, *Le Code Noir ou le calvaire de Canaan* (Paris: Presses Universitaires de France, 1996, 4ème édition).

[6] Ces apparentements sont étudiés par Javier Malagón Barceló dans son édition du Code Noir Carolin, *Código Negro Carolino 1784* (Santo Domingo: Editions Taller, 1974). Cf. notamment p. LXIX de l'Introduction.

part, en commençant par le Code Noir Carolin, et on verra déambuler le métis en banlieue du droit, en banlieue d'humanité et n'accéder à l'un ou à l'autre que par rejet de la part noire de son origine et regénération de son corps par le sang et le sperme du Blanc. En clair: les mémoires, décrets, arrêts précédant les codifications systématiques peuvent bien paraître comme des formulations éparses, établies au coup par coup, collant au plus près aux usages établis le fil des années et diversement dans chaque territoire colonisé; lorsque les affaires prennent forme définitive à Paris ou à Madrid, elles s'articulent au plus près possible des traditions juridiques actuelles (référence: les monarchies) ou classiques (référence: le droit romain).[7] En réalité, quelle que soit la puissance esclavagiste, l'évocation de la légitimité romaine sera obligatoirement mise en exergue, qu'elle puisse être faite sans tricherie (c'est souvent le cas pour l'Espagne), qu'il faille abondamment tricher avec l'histoire du droit pour la risquer (c'est souvent le cas en France). Lorsque les choses seront peu claires ou qu'il y aura des difficultés particulières à faire dire au droit romain exactement ce qu'on attendrait de lui, le canonisme – appelons-le droit ecclésiastique ou pontifical – constituera un plan incliné commode entre la "romanité" et la "modernité". Avant que les Lumières ne s'en mêlent pour l'esclavagisme en France, ou l'"Ilustración" pour l'esclavagisme en Espagne, le "préjugé" coutumier, romain ou canonique harmonisera suffisamment les comportements ici et ailleurs pour qu'on puisse comprendre les transferts ou les contaminations des législations dans la matière.

L'enjeu théorique dans la question du statut du métis est donc celui de son intégration, ou non, à la loi des Blancs. Or, cette intégration dépend, au tout début, d'événements que les nations esclavagistes chrétiennes (et je ne parlerai ici que

---

[7] Manuel Lucena Salmoral, *Los Códigos negros de la América española* (Unesco-Alcala, 1996). Lucena Salmoral réunit dans un seul volume les codes noirs espagnols dont il donne les textes complets, qu'il compare les uns aux autres et dont il argumente rigoureusement les ressourcements et les parentés avec la tradition hispanique d'une part et, d'autre part, avec le Code Noir français, notamment dans sa version de 1724 pour la colonie de Louisiane.

de la France et de l'Espagne) contemplent sous un double registre:

a) celui du droit romain quant à la transmission de la liberté ou de l'esclavage par la naissance selon le sexe ou la condition des géniteurs;

b) celui du droit canon quant à la légitimité ou l'illégitimité, la licéité ou l'illicéité de l'union entre libre et esclave, Noire et Blanc, Blanche et Noir.

Le Code Noir français en sa première version envisage aux articles 8-13 (articles 6-10, version de 1724, pour la Louisiane) les situations de "conjonctions", concubinages, mariages entre esclaves, et entre maîtres et esclaves et en "distribue" les effets selon leur conformité à des normes juridiques ou éthiques reconnues, parce que rapportées implicitement ou explicitement par analogie à des situations tacitement tenues comme assez semblables pour pouvoir être clairement significatives.

Seuls les catholiques accèdent au mariage. Les enfants nés de "conjonctions" (on doit songer aux "contubernia" des Romains) entre sujets du roi non catholiques et individus de n'importe quelle religion, ou d'aucune, sont déclarés "bâtards", ces "conjonctions" étant tenues et réputées "comme vrais concubinages." Faut-il le spécifier? Le métis qui naîtra d'une "conjonction" de ce style trouvera verrouillée à sa naissance la porte d'accès au droit (article 8).[8]

Une forte amende pénalise tout homme libre qui aura des enfants de ses concubines esclaves et tout maître qui aura toléré dans ces lieux cette situation. Si le père concubin est le maître lui-même, il payera l'amende et il perdra et la ou les esclaves qu'il a mises dans son lit et les enfants qui en sont nés. Femmes et enfants seront confisqués au bénéfice de l'hôpital et ils seront inaffranchissables à jamais. L'homme libre n'était pas marié avec une autre femme pendant son concubinage avec l'esclave? Il peut alors épouser l'esclave concubine selon les formes observées par l'Eglise; il affranchit par là même son esclave et, de bâtards qu'ils

[8] Code Noir, pp. 106-107.

étaient, leurs enfants deviennent libres et légitimes (article 9).[9]

Le bel article que voici, et le bel entrebâillement d'une porte pour le droit! Mais lorsque Versailles revoit le Code Noir pour l'appliquer à la Louisiane (1724), elle le modifie substantiellement.

La première mouture parle de Blancs et Noirs (puisqu'elle parle de maîtres et d'esclaves). Eh bien, plus de mariage possible entre Blancs et Noirs dans la deuxième mouture. On va plus loin: il est expressément interdit aux prêtres, aux missionnaires de célébrer des mariages mixtes aussi bien en Louisiane que pendant ou avant la traversée de l'Atlantique. Plus de situation possible de concubinage inter-racial. Les amendes et les peines aux contrevenants sont singulièrement aggravées. Une modification qualitative, pourrions-nous dire, vient altérer le sens de cet article dans sa deuxième mouture. C'était l'"homme libre", sans distinction de couleur, qui pouvait, dans la première forme du Code Noir, obtenir par les moyens canoniques rappelés, l'affranchissement de sa concubine esclave, la liberté des enfants nés ou à naître. Seul l'homme noir affranchi ou libre dispose désormais de cet avantage... là même où la possibilité n'est plus contemplée de liaisons interraciales. En clair, la composante raciale évidemment omniprésente vient dramatiser davantage s'il se peut les conséquences du tracé de la barrière juridique en deçà de laquelle est fermement maintenu l'esclave (article 6, Louisiane).[10]

Les lois canoniques corroborées par la Couronne exigent l'accord des parents pour le mariage des enfants: le Code Noir substitue à l'accord des parents celui des maîtres.[11]

La loi romaine solennise le principe "fructus sequitur ventrem", que les lois canoniques font leur? Le Code Noir s'aligne et fait de l'enfant né du mariage de deux esclaves de maîtres différents la propriété du maître de la mère. Logique,

---

[9] *Ibid.*, pp. 108-109.

[10] *Ibid.*

[11] Code Noir, a. 10 (a. 7 version 1724), pp. 110-111.

le fruit suit le ventre en cas de mariage entre libre et esclave: l'enfant naît libre si la mère est libre, il naît esclave si la mère est esclave.[12]

Il convient de noter néanmoins que tout cela semble être rappelé par un souci de fidélité totale au droit romain (à sa lettre, plutôt qu'à son esprit). Versailles envisage les effets de situations qu'elle pouvait entériner si elles étaient acquises avant les débuts de l'application du Code Noir, mais qui, en toute légalité, c'est-à-dire selon la lettre même du Code, ne devraient absolument plus pouvoir se reproduire.

Revoyons cela en toute sérénité, quelle qu'en soit la complication.

Il n'y a de mariage que catholique. Toute autre relation est dite concubinage et le concubinage est interdit.[13] Un homme libre qui épouserait une esclave l'affranchirait, semble-t-il, et les enfants déjà nés ou à naître seraient libres et légitimes.[14] Si l'homme libre ne l'épousait pas, le même article prévoit dans ce cas la confiscation de la femme et des enfants, considérés donc célibataires et esclaves et inaffranchissables à jamais.[15] On pourrait croire, dès lors, que l'article 13 renchérit sur les dispositions de l'article 9. Supposition que la lettre interdit, car cet article 13 parle uniquement de situations de mariage et n'évoque ni "conjonctions" ni concubinage. "Epouser" dans le Code Noir ne peut signifier rien d'autre que ce qui est prévu à l'article 10; et le Code ne saurait contempler ici, sauf contradiction interne, une situation de mariage catholique et clandestin à la fois. La version de 1724 restreint à l'"homme noir affranchi ou libre" cette possibilité d'affranchir par mariage l'esclave qu'il épouserait, parce qu'il interdit définitivement tout mariage possible de "sujets blancs" avec des "noirs", et cela de façon bien plus drastique que le Code de 1685 ne l'a fait. Par conséquent, ou bien la deuxième hypothèse contemplée dans cet article constitue un pur non-sens, ou bien elle

---

[12] *Ibid.*, a. 12 et 13 (a. 9 et 10, version 1724), p. 114.

[13] *Ibid.*, a.8, p. 106.

[14] *Ibid.*, a. 9, pp. 108-109.

[15] *Ibid.*

infirme intentionnellement – ce qui est difficilement tenable – les dispositions des articles 8-10, cassant le monopole du mariage accordé à l'Eglise, autorisant une forme de concubinage – un homme libre pour le Code de 1685, un Noir libre pour le Code de 1724 avec une esclave noire – négligeant l'obligation proclamée à l'article 10 de célébrer publiquement le mariage... L'hypothèse même d'une union officielle d'un esclave avec une femme libre est difficilement recevable, surtout en tenant compte des prohibitions supplémentaires apportées par des ordonnances postérieures à 1685 et intégrées à la version 1724, qui interdit en toutes occasions tout mariage des "sujets blancs de l'un et l'autre sexe" avec des Noirs ou des Noires. Il faut donc comprendre qu'un homme noir et esclave ne peut épouser qu'une Noire. Les femmes noires sont également des esclaves. Une femme noire n'est affranchie que par mariage avec un homme noir (art. 6).

Une seule situation crédible sous la rubrique en question: une Noire affranchie selon des modalités aliènes à toute conjugalité (articles 55 et 56)[16] épouse un esclave noir. Pour ce cas, et pour le cas d'une Noire née libre, l'article 13 aurait une fonction spécifique. A condition toutefois de gommer du Code Noir l'article 59[17] qui, donnant aux affranchis tous les effets de la liberté naturelle, accorderait à cette esclave le droit – et lui imposerait le devoir! – de libérer l'esclave qu'elle aurait épousé ou qu'elle épouserait. Les anti-esclavagistes, les "Amis des Noirs" théorisent en ce sens, au bénéfice, il est vrai, des seuls métis.[18]

La réalité, on s'en doute, est beaucoup plus simple. Les maîtres tireront argument de cet article, en glissant à leur convenance du "mariage" au "concubinage" pour ajouter un verrou supplémentaire à la situation des esclaves.

Pour la loi française, les choses s'arrêtent là. L'explication au nombre considérable de métis doit être cherchée à l'extérieur de ce que prévoit le Code Noir et

---

[16] *Ibid.*, (a. 50-51 version 1724), pp. 192-195.

[17] *Ibid.*, (a. 54, version 1724), pp. 200-201.

[18] *Ibid.*, p. 261 et suivantes: *Les subtilités des Amis des Noirs.*

personne ne s'étonnera que le vécu en terres d'esclavage ait inspiré quantité de moyens pour contrevenir à la contrainte juridique.

Plutôt que de tenter de se perdre dans les stratégies du sentiment ou de la passion, du penchant ou de la force brutale, constatons uniquement que la codification française ne semble pas vouloir s'éterniser, une fois ces principes posés, sur la progression du blanchiment d'un Noir, amorcée soudain, renforcée ou annulée à la génération suivante. Les Noirs d'un côté, les "hommes de couleur" (ou les "sang-mêlés") de l'autre, diront et répèteront les "Amis des Noirs" à la fin de 18ème siècle. Nous entendrons de nouveau Condorcet quand il sera temps.

• • •

L'Espagne: intarissable sur le métissage. Habituée à gérer chez elle, en Europe, un esclavage de souche européenne d'une part, de souche africaine (sur et soussaharienne) d'autre part, elle est rodée dans l'estimation de la valeur de chaque couleur, de chaque nuance, de chaque origine et elle théorise à longueur de pages sur les vertus – ou, bien sûr, plutôt les vices – des métis. Elle ne tire pas ses nomenclatures-à-esclaves du droit romain qui ne pouvait pas les lui proposer, mais du génie du castillan s'arrangeant des situations diverses dont elle entend maîtriser les effets raciaux.[19] Son souci: préserver, elle aussi comme la France et avant elle, la pureté de sa race, en contrôler l'approche par d'autres, tenir à distance le mulâtre, ne l'intégrer qu'une fois totalement déraciné – anthropologiquement en quelque sorte – de sa souche matricielle. Lorsqu'elle a voulu traduire en code lisible, unitaire, sa propre politique esclavagiste, elle s'est tournée vers le modèle français (le Code Noir) sans négliger son propre patrimoine juridique et culturel.[20] Avant

[19] Incontournables sur la question: la présentation déjà citée du Código Negro Carolino 1784 par Malagón Barceló, et Hugo Tolentino, *Origines du préjugé racial aux Amériques*, trad. de l'espagnol par Valérie Pannier (Paris: Laffont, 1984).
[20] Cf. supra, notes 6 et 7.

de tenter définitivement une codification, le juriste chargé de l'affaire a voulu recueillir sur place, à Santo Domingo, les avis de quelques notables. Dans leurs "mémoires",[21] les témoins sollicités n'insistent pas outre mesure sur la "spécificité" des métis, qu'ils amalgament volontiers avec celle des Noirs libres. L'un d'eux, militaire de son état, risque des considérations que nous retiendrons ici parce qu'elles collent à la teneur de vieilles ordonnances hispaniques et annoncent l'essentiel de ce que retiendra le rédacteur du Code Noir Carolin. Notre *matamores* commence en déclarant que, pour bien légiférer pour les colonies en général, et Santo Domingo en particulier, "il faut avoir une connaissance parfaite du malheureux esclavage et des avancées possibles vers la liberté, des degrés de subordination de l'esclave au maître, de l'affranchi au patron etc... et aussi de toute la série des générations, et des couleurs qui en résultent, avant que (les mulâtres) ne puissent être comptés comme membres de la société civile, comme véritables citoyens relevant du droit commun dont relève chaque citoyen". Cette affaire de générations et de couleurs est délicate et elle devrait être réservée à la réflexion des juristes de Sa Majesté. Il risque pourtant, à leur intention, des observations qui collent au passé et préfigurent l'avenir immédiat. La population de Santo Domingo est noire ou mulâtre dans sa très grande majorité. Il conviendra donc de proposer un réglement général pour toute l'Ile et une série de "règlements mineurs", comme autant de boutures du principal, à appliquer "aux diverses classes de Noirs et à leurs descendances", car il y a, poursuit notre militaire, des relations très étroites entre la sérénité de l'Etat ou ses agitations d'une part et le contrôle des rapports entre les Noirs esclaves, les Noirs libres, les récemment affranchis et les libres de longue date "et les métis de toutes espèces qui, dans leur mollesse, barbarie et irrationalité de pensée et de comportement, sont incapables d'aspirer d'eux-mêmes à nul autre bonheur qu'à celui de satisfaire les pulsions et les appétits de l'instant. Il en résulte que, faute des règlements attendus, loin d'être utiles à la

---

[21] Mémoires intégrés par Malagón Barceló à son édition déjà citée.

société et à eux mêmes, ils ne sont que la vermine de l'Etat".[22]

Notre *matamores* connaît le terrain. Il suggère en fait qu'on établisse des règles claires permettant de situer chacun dans la classe qui est la sienne et dans l'échelon qu'il occupe effectivement sur l'échelle du blanchiment. Le Code Noir Carolin s'inspirera des pratiques multiséculaires d'esclavage sur la péninsule ibérique[23] d'une part et, d'autre part, des arrangements hispaniques pour les territoires d'outre-mer édictées dans un beau désordre, mais sous de belles constantes dès le début du 16ème siècle.[24] Nous aurons affaire avec un arrangement juridique féroce et pleurnicheur à la fois de ces "avancées possibles vers la liberté": ce sera une manière de toile de fond ou de "ligne d'horizon" de ce *Código* et des codifications postérieures hispaniques qui le remplaceront et s'en inspireront.

Ouvrons désormais le *Código*[25] à son titre 3 ("De la police").[26] Il comporte, comme presque tous les autres, un préambule alignant les données et l'argumentaire idéologique légitimant les lois qui suivront. Il est ici rappelé que les Noirs esclaves constituent une "nation nombreuse, violemment arrachée à sa chère patrie et au cœur des familles, réduite à l'esclavage, privée des droits naturels découlant de sa liberté, le seul bien qu'elle possédait". On s'attendrit. Ce ton semble promettre des douceurs. Mais voilà: cette nation est trop nombreuse. Le nombre des Noirs à Santo Domingo a beau n'être l'équivalent que d'un sixième de ceux de Saint Domingue, il n'en surpasse pas moins excessivement, donc

---

[22] Toutes les citations de ce mémoire: édition Malagón Barceló, pp. 93-94.

[23] Sur l'esclavage hispano-médiéval, on reviendra toujours au travail fondamental de Charles Verlinden, *L'esclavage dans l'Europe médiévale* (Gent Université. Brugge, De Tempel, 1955 et 1977).

[24] Cf. Malagón Barceló, déjà cité.

[25] Tous les renvois au Código Negro Carolino le sont à mon édition en version française, *L'Afrique aux Amériques. Le Code Noir Carolin* (Paris: Presses Universitaires de France, 1992).

[26] Code Noir Carolin, p. 101.

dangereusement, celui de la population blanche. Ils sont donc trop nombreux si insuffisamment tenus. Et “cette nation, dont les corps robustes sont habitués dès l’enfance à la frugalité et aux intempéries, dont les bras vigoureux sont constamment armés pour les travaux des champs”, a constamment en mémoire et devant les yeux “les gestes mémorables accomplis par ses compatriotes dans les colonies du Surinam, de la Jamaïque, de la Martinique et, bien avant, dans cette même Ile Espagnole”. Il convient donc de tenir cette “nation” par “un bon régime et une bonne administration”.[27] Bref, il faut policer tout cela. Et le pivot de cette police sera justement la référence constante à la couleur, non dans la drasticité française, mais dans l’élégance d’un véritable nuancier. En onze articles, le nuancier se précise, se fige, fait des tris et refait des mélanges, produit enfin des effets pédagogiques, sociologiques, juridiques et pénaux.

Trop invraisemblable pour qui n’est pas habitué à ce genre de littérature, je retranscris textuellement l’article premier de ce titre:

> Il est nécessaire d’effectuer avant tout la division opportune des Noirs en races et générations en vue des classes et des cens dans lesquels ils seront distribués, et de la juste régulation des droits civils, des grades à occuper dans l’ordre public et dans les rôles et offices, auxquels races et générations seront destinées.
>
> On divise donc la population noire tout d’abord en Noirs esclaves et Noirs libres; et les libres, en Noirs et mulâtres ou “*pardos*”.
>
> Les fils d’un Blanc et d’une Noire légitimement mariés constituent la première génération de mulâtres et le premier degré. Le second est constitué par les fils de ces mulâtres mariés avec des personnes blanches: on les nommera “*tercerons*”. Les enfants des mariages entre tercerons et Blancs sont les “*quarterons*”. Leurs petits-enfants, issus des mariages avec des Blancs, seront les

[27] Toutes les références sont du préambule du titre 3, p. 101.

métis. L'arrière-petit-enfant, qui occupe le sixième degré de génération légitime, sera réputé Blanc, à condition qu'aucun de ces ancêtres dans les générations précédentes n'ait interrompu l'ordre qui vient d'être défini; auquel cas il recule, selon la qualité de l'ancêtre coupable de l'inversion. Cela, parce qu'il est juste que la société, dont le Noir a contribué à l'élargissement et aux bénéfices avec son travail, le récompense et le gratifie en l'élevant quelquefois au degré le plus haut de sa hiérarchie. Cette société aura un intérêt primordial à maintenir cet ordre, qui stimulera ses esclaves dans leur misérable condition.[28]

Je ne pense pas qu'il faille alourdir de la moindre glose pareil chef-d'œuvre de clarté. Comme dirait Condorcet: puisque, à l'évidence, chaque ancêtre aura connu le mode d'emploi du mariage sur le chemin de la blanchitude, un jour viendra où "les Noirs se confondront absolument avec les Blancs". Mais trève de mélanges franco-hispaniques, "Ilustración"-Lumières et restons dans les colonies espagnoles, dont les esclaves ayant été libres une fois, constituent une nation pouvant se référer à un passé glorieux, ce que la France n'accordait pas aux esclaves de ses colonies.[29]

Le Code Noir Carolin affine les traits de ses dispositions. A l'article 2 de ce titre, il précise ce qu'il entend par "classes". Elles renvoient à la couleur. Première classe: les Noirs, libres (mais nés esclaves dans la péninsule ou dans les colonies ou d'ascendance esclave par le fait de la traite) et esclaves confondus. Deuxième classe: elle est intermédiaire entre la première et celle des "ingénus" (et dans le contexte n'est "ingénu", né libre et d'ascendance libre, que le Blanc), les mulâtres la constituent. Mais pas en vrac. Sous ce titre générique, pour tout ce qui concerne les effets civils et politiques "on maintiendra la distinction entre ceux de la

---

[28] Code Noir Carolin, p. 102.

[29] On cherchera inutilement dans le Code Noir (de Versailles) et dans les édits postérieurs un siècle durant le début d'une reconnaissance de pareille structure politique pour désigner la masse des Noirs esclavisés en terres françaises.

première génération mêlée, les tercerons, les quarterons, les métis et leurs enfants". Cette distinction et sa projection sur le civil et le politique, voilà qui conduira "à l'établissement de l'ordre public et de la police les plus convenables et adéquats".[30]

Nous avons les classes et les couleurs (noir, nuancier métis, blanc), ayons-en les missions. C'est la philosophie de l'article 3. Les Noirs-noirs, libres ou esclaves, par leur très grand nombre et par la nature des tâches qui leur sont réservées, constituent "le peuple". Tout en bas, ils besognent. On sait ce que cela veut dire en terres d'esclavage. "La classe intermédiaire, celle des mulâtres, tiendra la balance juste et équilibrée entre la population blanche et la noire, se montrant soumise et respectueuse à la classe supérieure, au rang de laquelle aspire à accéder, et aux intérêts de laquelle elle doit participer". Les mulâtres veulent blanchir, c'est l'évidence. Le Code n'a aucun mal à récupérer *ad nauseam*[31] cette envie. Son rédacteur a observé le quotidien des terres d'esclavage. "L'expérience de toutes les colonies américaines montre (...) que la classe des mulâtres ne se mêle jamais aux Noirs (qu'elle regarde avec de la haine et de l'aversion) au cours des soulèvements, fugues et attentats". Le mulâtre est donc *tenu*, mais parce qu'il *tient* par inertie ou par souci de mêler ses intérêts à ceux de la classe des ingénus, il est le moyen le plus parfait de l'emprise sauvage des Blancs sur la "classe noire": "les mulâtres constituent donc la défense la plus forte et la plus efficace de l'autorité publique, donnant aux Noirs l'exemple de l'amour et de la vénération qu'ils doivent toujours témoigner aux Blancs".[32]

Bien distinguer les couleurs, les bien classifier, car l'inattention d'avant dans les mélanges, à laquelle le Code Noir Carolin veut remédier, a eu pour effet "l'orgueil, l'arrogance et l'indépendance des classes infirmes – Il est donc nécessaire d'asseoir la subordination et la discipline les

---

[30] Code Noir Carolin, p. 102.

[31] Constamment évoquée et constamment "récupérée" tout au long du Code Noir Carolin.

[32] Code Noir Carolin, pp. 102-103.

plus sévères des classes infimes envers la population blanche comme base fondamentale de la politique intérieure des colonies agricoles du Nouveau Monde". C'était l'article 4,[33] où l'on relève que la classe des mulâtres, avec tous ses échelons, dont le rôle sera de tenir la classe des Noirs, est de nouveau confondue avec elle lorsqu'il s'agit de redéfinir le destin global des colonies.

Comment l'entendre dans la réalité? Autre chose seraient les "effets civils et politiques" évoqués plus haut corroborant les classifications par la couleur, autre chose la quotidienneté des rapports Noirs-mulâtres et Blancs. Article 5: "Tout Noir esclave ou libre, tout mulâtre de première génération, ou terceron ou au-delà, sera soumis et respectueux à toute personne blanche, comme si chacune d'elles était son propre maître".[34]

La très catholique Espagne, visitée par l'"Ilustración", sait qu'il n'y a pas de police qui tienne si elle n'est "portée par l'école".[35] L'école la portera. Elle sera fermée aux Noirs et aux mulâtres de première génération "dont le destin est le travail dans l'agriculture" et qui "ne pourront pas se mêler aux Blancs". Tercerons et quarterons et au-delà n'auront aucun contact avec les écoliers blancs. Dans des classes à eux seuls réservées et dirigées par des Blancs à la moralité reconnue, on cultivera "les sentiments de respect et d'inclinaison envers les Blancs, avec lesquels ils pourront se comparer un jour".[36]

L'élève mulâtre aura tout intérêt à bien apprendre cette unique leçon décrite par l'article 6, ou il lui en cuira:

> Article 7. Pour ce qui touche aux lois pénales établies au même effet, nous ordonnons premièrement que le Noir ou le mulâtre de première génération, qui manquera de respect – de quelque façon que ce soit – à n'importe quel Blanc, sera attaché au pilori ou au carcan de la place

[33] *Ibid.*

[34] *Ibid.*

[35] *Ibid.*, a.5, pp. 103-104.

[36] *Ibid.*, a.6, p 104.

publique pour y souffrir la peine de vingt-cinq coups de fouet, de la main du bourreau. Pour le même délit le terceron, le quarteron, le métis seront condamnés à quatre jours d'emprisonnement et au paiement de vingt-cinq pesos à la caisse de l'hôpital des Noirs.[37]

Où il est montré que l'Espagne prend très au sérieux la politique de blanchiment, puisque, à délit égal correspondent des sanctions très inégales. Cette inégalité sanctionnant le manque de respect est préservée en cas de menace d'agression. Un Noir ou un mulâtre de première génération menace du bâton, d'une pierre, de la main "n'importe quel Blanc": cent coups de fouet au pilori de la place publique et deux ans de prison sans solde, grillets aux pieds. La menace est le fait d'un terceron, d'un quarteron ou de ses descendants: six heures d'exposition à l'abomination publique sur la place et 100 pesos de contravention.[38]

Passe-t-on de la pierre au bâton, de la main à l'arme? On menace d'une arme un Espagnol ou un Blanc: cent coups de fouet et la main clouée. On récidive? Main tranchée, c'est le tarif pour le Noir et le mulâtre de première génération. Pour les autres mulâtres, six ans de prison.[39]

Plus d'attitudes ni de menaces: des faits.

Article 10. L'esclave qui porte la main sur son maître ou qui le frappe avec un bâton ou une pierre, provoquant contusion ou versement de sang, ou qui giffle la femme ou le fils de son maître, souffrira irrémissiblement la peine capitale, pour l'exemple et la crainte des autres.[40]

Le titre 3 aboutit avec, en son article 11, l'affirmation paisible du principe de soumission entière, sur lequel le Code dessinait des arabesques de casuistique et en remélangeant, pour le principe, les couleurs et les deux classes savamment

---

[37] *Ibid.*, a. 7, p. 104.

[38] *Ibid.*, a. 8, p. 105.

[39] *Ibid.*, a. 9, p. 105.

[40] *Ibid.*

différenciées dans son commencement, en les redifférenciant à l'énoncé des sanctions.[41]

Résumons. Les "avancées vers la liberté" dont parlait notre *matamores* seront bien contrôlées. Mais le Noir sera blanc à la sixième génération. Il lui suffira de bien compter et d'attendre.

Il attendra longtemps. Le Code Noir Carolin n'a pas de titre spécifique "mariage", et disperse en compensation un peu partout sur son long des lois qui vous font lire mariage et procréation en termes de "contubernia" et d'élevage. Retenons, entre autres dispositions, que "les Noirs et les mulâtres esclaves épousent des Noires et des mulâtresses esclaves; que le mariage éventuel (que le même Code impossibilise) entre Noirs esclaves et Noirs et mulâtres libres ne produit aucun effet d'affranchissement; qu'il est interdit aux Blancs de contracter mariage avec leurs esclaves noires ou mulâtresses" et on verra à quoi se résume la politique espagnole de métissage, établie au début du titre "de la police" avec la technicité que nous avons vue.

• • •

"Les Noirs se confondront absolument avec les Blancs", écrivait dans les mêmes années Condorcet en pensant aux effets du moratoire et d'une cohabitation dans la liberté, au bout de soixante-dix années, sur la partie française de l'Ile. La perfectibilité blanche viendrait à bout de la dégénérescence noire petit à petit, par degrés. Le Code Noir Carolin, qui ne parle pas de degénérescence anthropologique mais seulement d'abrutissement moral, semble vouloir répliquer à Condorcet qu'il ne saurait être question de pareille infamie. Et lorsque l'abbé Grégoire conjurera les métis de Saint Domingue de "tenir" les Noirs avec toute la rigueur nécessaire, mais en n'oubliant pas de voir dans chaque Noir tenu un père et un frère, une mère et une sœur,[42] il nous semble tenir un langage qu'on est habitué à entendre sous le

---

[41] *Ibid.*, a. 11, pp. 105-106.

[42] *Le Code Noir ou le calvaire de Canaan*, p. 261 et suiv.

registre des Lumières libératrices. Il colle pourtant à l'esprit du Code Noir Carolin.

GUERRES DES SABINES ET TABOU DU MARIAGE. DISCOURS SUR LES MARIAGES MIXTES, DE L'ALGERIE COLONIALE A L'IMMIGRATION EN FRANCE

Claude Liauzu

Mariage mixte: "entre personnes d'obédiences religieuses différentes" (*Hachette*), "entre personnes de religions, de races ou de nationalités différentes" (*Robert*, 1994). La référence à la race, disparue dans les éditions précédentes mais rétablie dans le dernier *Robert*, rappelle – de manière inquiétante – la prégnance des représentations en termes de différences de nature dans la culture française. En soulignant le caractère hétérogène des unions mixtes, les dictionnaires marquent la sensibilité des sociétés à l'égard de tout ce qui concerne leur reproduction. Le licite et l'illicite sont strictement codifiés, et si le désir suscite la trangression, le "couple interdit" ne peut produire que des "enfants illégitimes".[1]

Ce qui est vrai de manière générale l'est plus encore dans le cas franco-algérien, qui cumule les hypothèques. Emmanuel Todd, dans *Le Destin des immigrés* (1995), relève l'antinomie entre l'exogamie qui caractérise les sociétés européennes et l'endogamie des sociétés arabes. Même si celles-ci n'ont jamais pratiqué que partiellement l'union entre cousins issus de deux frères, même si cette pratique paraît diminuer et n'intéresse qu'entre le tiers ou le quart des mariages au Maghreb, le dixième dans l'immigration, elle est posée comme la norme, l'idéal. Si elle a moins de raisons d'être liées à la préservation du patrimoine familial qu'hier, ses ressorts identitaires demeurent très forts. C'est ainsi que la règle du mariage au plus proche est réinterprétée de manière élargie: Kabyles *versus* Arabes, Arabes *versus* Européens...

---

[1] Léon Poliakof, *Le Couple interdit* (Paris: Mouton, 1980); Abdelmalek Sayad, *L'Immigration ou les paradoxes de l'altérité* (De Boeck: Bruxelles, 1991).

Quant à la société française, les mariages mixtes y font l'objet de deux discours, l'un y voyant une menace, l'autre les posant à la fois comme un critère d'intégration et un moyen d'assimilation des immigrés. Il s'agit là de questions d'autant plus sensibles que les types de familles concernés, la famille patriarcale maghrébine et le couple français, sont aujourd'hui en crise.

Les tensions sont d'autant plus fortes que les attitudes peuvent se prévaloir du sacré. Le mariage n'est pas un sacrement en islam, mais la *Chariaa* ne permet les mariages mixtes – sans les conseiller – qu'entre homme musulman et femme juive ou chrétienne, et le refuse strictement aux musulmanes. A l'encontre de celles qui seraient tentées par un tel choix joue la doctrine de la *kafà'a*, préservant l'honneur des familles en s'opposant au mariage entre une femme et un homme de statut inférieur. Tous les Codes du Statut personnel ont rappelé la distinction entre hommes et femmes, et même si certains Etats ont signé la Convention de l'ONU en 1962 sur la liberté du mariage, ils ne la respectent pas. Les théologiens de Al-Azhar sont allés, en 1965, jusqu'à interdire toute union avec des communistes, considérés comme des renégats, puisque athées ou supposés tels. Pour l'Eglise catholique, l'interdit a été la règle, sauf dispenses, qui sont plus libéralement accordées aujourd'hui. Dans certains cas, l'Eglise va même jusqu'à tolérer des conversions à l'islam, si elles sont exigées par les familles des jeunes filles et si elles évitent un "péril plus grand". Mais dans leur quasi-totalité hier, et dans leur grande majorité aujourd'hui encore, les mariages mixtes sont le fait des hommes musulmans.

En réalité, c'est pour les femmes surtout que ce mariage est une transgression à haut risque, en raison du statut et des contraintes attribués à leur fonction de mère, de l'inégalité des rapports de sexes et de l'infériorité inscrite dans la culture musulmane.

L'islam apparaît bien actuellement en Europe comme l'altérité radicale et irréductible. A quoi il faut ajouter une relation coloniale de 132 ans pour la France, où les deux sociétés se sont livrées une guerre des Sabines, et, bien plus, des siècles de duels méditerranéens inscrits dans les mémoires, avec leur cortège d'enlèvements, de rapts... Que ces rivalités relèvent de l'imaginaire beaucoup plus que du passage à l'acte les rend d'autant plus significatives.

Aussi, l'un des problèmes que posent les mariages mixtes est-il la disproportion entre leur quantité qui a été marginale, voire infime jusqu'à ces dernières années, et qui demeure très réduite, et des discours multiples et surabondants. Seul l'écrit a été retenu ici, mais il est évident que l'oralité révèlerait une violence bien plus forte, tant sa fonction a été de dire pour ne pas faire, pour prévenir le mal. Dans les années 1950, l'état civil des départements algériens enregistre une petite soixantaine de mariages, dont 20 à 25 intéressent des musulmanes! Il a donc paru intéressant d'analyser certains de ces discours dans la longue durée.

Cette analyse montre des transformations très nettes des principales représentations de l'Algérie coloniale à la France actuelle.

Discours des conquérants: exotisme, érotisme et gouvernement

C'est dans la littérature romanesque et les récits de voyages que ces questions sont d'abord traitées. L'Algérie a été une province de notre imaginaire orientaliste. La somme bibliographique de Charles Tailliart[2] ressemble à un gotha des lettres, avec une touche d'exotisme et d'érotisme, quelques titres relevant de l'Enfer de la Bibliothèque Nationale.

Loti, Maupassant, Gide, Pierre Louys, Montherlant n'ont pas manqué le rendez-vous. A. Ruscio a recensé pour son anthologie des *Amours coloniales* 52 titres intéressant le Maghreb et le Levant, sur 162 au total, soit le tiers.[3]

Les "alouettes naïves" – du nom de la tribu des Ouled Naïl – les bayadères, les odalisques des harems ressemblent à

---

[2] Charles Tailliart, *L'Algérie dans la littérature française* (Paris: Librairie ancienne Edouard Champion, 1925).

[3] Alain Ruscio, *Amours coloniales. Aventures et fantasmes exotiques de Claire de Duras à Georges Simenon* (Paris: Editions Complexe, 1996).

leurs sœurs *congaï*: soumises, sensuelles, elles permettent la violation des tabous – celui de l'âge revenant souvent – mais elles ne sont pas de celles qu'on épouse, dont on attend des enfants. Aussi ces derniers sont-ils absents de la littérature. De même, la petite fleur bleue, la poésie de l'amour ne poussent pas dans ce milieu ingrat, où la prostitution corrompt parfois – et de plus en plus souvent avec le temps – l'échange. La Carte du Tendre de la France d'Outre-Mer porte cependant des nuances: l'image de la femme noire qui suscite à la fois une fascination et une répulsion tenant à l'état de nature, à la primitivité, à l'animalité à quoi on la réduit se transpose difficilement au Maghreb.

Mais un autre thème du premier âge colonial, en grande partie oublié aujourd'hui, mérite attention. Certains officiers des Bureaux arabes, tel Pelissier de Reynaud, en particulier ceux qui sont influencés par les Saints Simoniens Enfantin et Ismayl Urbain sont partisans de "l'affamiliation". Ils voient dans le métissage une possibilité de régénération des colonisés ou de fusion entre les populations, et sont hostiles à un peuplement colonial à outrance, à la dépossession et à la destruction des assises de la société indigène. Cette position ne se confond pas avec l'assimilationnisme. Ainsi, Ismayl Urbain, lui-même métis né à Cayenne en 1812, épouse une musulmane, se convertit, et se voue à la politique du Royaume arabe de Napoléon III, à une réconciliation entre Algérie et France, reprenant les projets d'Enfantin.[4]

Les unions mixtes entre officiers et musulmanes ont-elles été fréquentes, comme le dit Annie Rey?[5] Apparemment, elles sont mal vues par la hiérarchie: plusieurs militaires ont subi des avanies, et certains ont été contraints de démissionner de leurs responsabilités. *A fortiori*, le mariage entre une Française et un Arabe est inconcevable pour le

---

[4] Urbain écrit une réhabilitation: *Des Femmes musulmanes*, et publie en 1938 avec Gustave d'Eichtal un échange de *Lettres sur la race noire et la race blanche* où ils prônent le métissage. Ismayl Urbain se dit "à la fois chrétien et musulman" et espère "concilier les Noirs et les Blancs".

[5] Annie Rey, *Le Royaume arabe* (Alger: OPU, 1980).

Gouverneur général de l'Algérie qui l'interdit à Aurélie Picard. C'est le Cardinal Lavigerie, meilleure tête politique que de Gueydon, qui consacre l'union de celle-ci avec Ahmed Tijani, cheikh de la grande Confrérie Tijania. Veuve, elle épousera le frère et successeur du cheikh et aura la coquetterie de refuser le mariage civil, qui lui est proposé cette fois par le gouvernement. De fait, Aurélie Tijani a contribué au rayonnement de la France dans le Sahara, ce qui lui a valu la légion d'honneur à titre posthume. Cet exemple, qui a été interprété sur un registre soit réaliste soit romantique, fait cependant exception.

Il n'y a pas eu au Maghreb l'équivalent de liaisons telles que celle de Cortès et doña Marina qui ont eu une portée politique directe. L'islam y est pour beaucoup: en sacralisant la défense du sanctuaire identitaire familial, en cantonnant en outre la femme dans la sphère privée, il rend difficile un rôle de truchement, de médiatrice ou d'agent double, analogue à celui des Amérindiennes, des Signares du Sénégal ou de Madagascar. De même, l'influence de la Française ne saurait s'exercer qu'à travers son mari, et Aurélie Tijani doit s'effacer quand ses époux ont disparu.

Discours des colons

Au demeurant, l'Algérie des officiers, des voyageurs séduisant *Aziyadé*, ou des bergères séduites par un prince musulman, le cède à celle des colons. Le peuplement et l'immigration des Européennes cantonnent les "mariages d'Afrique" à la marge. Elisée Reclus, en prévoyant un métissage généralisé dont les Espagnols, préparés par leur passé, seraient le liant, commet une erreur.

Louis Bertrand, le père de l'école littéraire algérianiste, qui s'impose au début du siècle comme l'expression de la culture coloniale, souligne le caractère exceptionnel du cas d'Aurélie. "Ou bien les deux conjoints, et c'est le cas le plus fréquent, ne peuvent pas se comprendre et finalement se séparent, ou bien la civilisée capitule devant le barbare. Elle tombera au niveau des concubines dont elle partage la misérable existence".[6]

Le thème de l'union mixte recule dans le roman, pour s'effacer presque entièrement à partir de la première guerre. Confirmation de cette marginalité est fournie par les études démographiques.[7] L'Afrique du Nord, qui n'est pas incluse dans l'état des lieux dressé par la Commission Guernut en 1937-1938, ne semble pas avoir fait l'objet d'enquête sur les métissages à la différence des autres colonies.[8]

Le seul discours qui prenne une certaine consistance est le discours juridique. D'abord limité à une jurisprudence très contradictoire, il se structure et prend forme dans des travaux spécialisés et dans des thèses, qui donnent à la question ses lettres de noblesse dans les années 1930.[9] Le droit demeure cependant indécis quant à la situation des épouses et des enfants. Certes, la tendance prépondérante, codifiée tardivement par le projet de loi voté le 2 avril 1930, est-elle à la prééminence du droit français, car "le peuple conquérant ne peut s'incliner devant le peuple vaincu" (selon une formule du Garde des Sceaux datant de novembre 1871 et reprise dans nombre de textes), ni la civilisation supérieure s'abaisser devant l'inférieure. Le mariage n'est légal que s'il est effectué devant un officier d'état civil, et donc si le mari n'a pas d'autre épouse. Mais avant la loi de 1927 concernant les Françaises mariées à des étrangers, la nationalité et le

---

[6] Préface à Marthe Bassene, *Aurélie Tijani, princesse des sables* (Paris: Plon, 1925).

[7] Demontès, *Le Peuple algérien*, p. 13. De 1830 à 1877 sur 44816 mariages, 51,8% ont lieu entre Français, 15,4 entre Français et Européens, 32,5 entre étrangers, 0,1 avec des musulmans et 0,06 avec des juifs! De 1878 à 1903, 264 mariages ont eu lieu entre Européens et musulmans, 275 entre juifs et chrétiens.

[8] Le gouvernement Blum charge A. Guernut de diriger une grande enquête sur les populations coloniales, enquête qui n'aboutit à aucune décision concrète, mais qui présente l'intérêt de fournir une riche documentation sur l'empire à cette époque. Une des enquêtes a porté sur les métis.

[9] Notons qu'en 1938 est publiée aussi la première étude posant les problèmes en termes sociologiques.

statut de l'épouse d'un colonisé ne sont pas évidents. Les problèmes d'héritage, de garde et du statut des enfants – qui en droit musulman relèvent de l'autorité paternelle – suscitent des décisions très contrastées. La confusion est d'autant plus grande qu'à partir de l'ordonnance du 7 mars 1944, le statut personnel musulman n'est plus incompatible avec la citoyenneté française. Aussi, la Cour de Cassation peut-elle contredire la Cour d'Appel d'Alger et considérer que le droit musulman est applicable aux mariages.

Ce qui domine, cependant, est la hantise de la perte – perte d'âmes, perte de prestige plus encore – que ces unions représentent. Des circulaires mettant en garde contre les risques qu'elles encourent sont adressées aux candidates par les Résidences générales de Tunisie et du Maroc. Les notes d'experts demandées par le Gouvernement général d'Alger à des juristes vont dans le même sens.

Louis Chevalier s'inquiète de voir ces Bretonnes ou Auvergnates “kabylisées” après avoir été ramenées par l'émigré au *douar* natal. Le cas contraire, la conquête par la civilisation, par la Française, est une opinion beaucoup plus rare. “La mentalité que notre indigène semblait avoir acquise au contact de notre civilisation ne tardera pas à s'évanouir lorsqu'il sera retombé dans son milieu originaire dont il ne tardera pas à reprendre l'esprit, les coutumes et les mœurs. Bien vite, il reviendra aux conceptions inspirées par le Coran“.[10] Il y reviendra d'autant plus facilement que, par son mariage, il pénètre dans le camp des colons sans avoir eu à faire effort pour le mériter. Pire, il renverse les rapports, en dominant la fille du maître. L'homme, sa famille, l'islam s'assurent aussi le contrôle de la descendance, alors que, ailleurs, les colonisées n'ont la charge du métis que par défaut de l'autorité du père.

On ne trouve pas en Afrique du Nord d'œuvres philanthropiques destinées à la protection des enfants d'unions mixtes, à leur accueil et à leur éducation. En raison de la faiblesse de leur nombre? Peut-être aussi parce que la

---

[10] Conseiller Thiodet, *Rapport au Gouverneur Général*, cité par Dr. H. Marchand, *Les Mariages franco-musulmans* (Alger: Vollot-Debacq, 1954).

société musulmane refuse les adoptions des orphelins, ou enfants abandonnés, par des adeptes d'autres cultes. La tentative de conversion faite par Lavigerie, qui avorte à la fin du 19ème siècle, n'aura pas de suite.[11]

La dégénérescence menace donc les enfants, "repris par la vie indigène, soumis à sa coutume, oublieux de leur statut de Français... Il est difficile de reconnaître des droits politiques à des individus dont l'attitude tend à prouver qu'ils n'en sont pas dignes".[12] On retrouve là une représentation négative des métis, analogue à celle qui explique les difficultés faites par certains administrateurs en Indochine et en Afrique à la reconnaissance de leur nationalité française.

Le point de vue exprimé par les "indigénophiles", très minoritaire, n'est pas forcément plus optimiste, l'opposition des deux milieux hypothéquant les chances de réussite des couples et celle des enfants.[13]

Ce sont sans aucun doute certains écrits de femmes – ils ne reflètent certes pas l'opinion féminine moyenne! – qui sont les plus sensibles, les plus intuitifs, les seuls dans le morne paysage de la littérature coloniale à savoir rendre le désir, la passion.[14] Ils sont parfois très bien informés. Marie Bujéga, épouse d'un administrateur, plaide, dans une œuvre moins romanesque que descriptive, pour la connaissance de *Nos sœurs musulmanes*, pour une évolution moderne, symétrique à celle de l'homme, tout en mettant en garde contre les mariages mixtes. Elle est assez crédible aux yeux des nouvelles élites algériennes pour défendre ses thèses dans

---

[11] Insignifiante quantitativement, elle est à l'origine de trajectoires "métisses" particulièrement intéressantes et peu étudiées.

[12] P. Chauvaut, cité par A. Babadji, "Le mixte franco-algérien", *Annuaire de l'Afrique du Nord* (Paris: CNRS, 1990).

[13] Charles Géniaux, dans *Le Choc des races* (Paris: NRF, 1945), montre l'amour d'un beldi tunisien et d'une jeune Française brisé par la jalousie d'un petit blanc italien; A. Truphémus, *Ferhat, instituteur indigène* (Alger: P. & G. Soubiron, 1935).

14 On compte entre 1918 et 1962 une centaine de titres algérianistes, cf. sur les auteurs femmes Messadi Sakina, *Romancières coloniales et femmes colonisées* (Alger: OPU, 1990).

La Voix des Humbles, le journal des instituteurs. Jeanne Faure-Sardet, diplômée de langue arabe, publie en 1932 *Helia*, puis en 1935 *Fille d'Arabe*, où l'amour métis est interdit par les deux communautés. C'est au contraire sa victoire que conte Magali Boisnard dans *Maâdith*. Mais à la vérité cette fin est rare. Jacques Berque l'a bien dit, "sur ce sol piaffant de désir, l'élan des deux foules l'une vers l'autre est coupé"[15] et Fanon a montré que ce désir avait des allures de viol.

Les métissages, enfin, ont été un thème privilégié de quelques êtres-frontières – tels Isabelle Eberhardt, Jean et Taos Amrouche – ou d'œuvres littéraires "mixtes" – *Les compagnons du jardin* écrit en commun par Randau et Ali Hadj Amou.[16] L'un des personnages les plus importants de Randau, Cassard le berbère, qui descend de pirates barbaresques, annonce une Algérie mêlant toutes les races. Dans *Les Compagnons du jardin*, le dialogue se noue entre "jeunes algériens" et libéraux français cherchant à construire une "patrie algérienne", où les élites indigènes seraient assimilées par l'école mais aussi par le mariage. Ali Hadj Amou est par ailleurs l'auteur de *Zohra, la femme du mineur*, qui exprime – ainsi que R. et A. Zenati dans *Bou al Nouar, le jeune algérien* (1945), deux œuvres traitant de l'union mixte – l'attraction de la francisation.

Cependant, passées les années 1930-1940, l'assimilation paraît de moins en moins l'avenir de l'Algérie, et le thème de la Méditerranée pluraliste est présenté comme une alternative par un courant littéraire et politique en rupture avec l'algérianisme. Gabriel Audisio, qui en est le chantre contre une latinité exclusivement européenne et exclusive exalte la bâtardise, les ancêtres multiples. Mais il doit reconnaître dans l'impossibilité des mélanges "le péché capital" de l'Algérie française.

Le parfum de scandale qui entoure Isabelle Eberhardt, son androgynie, sa conversion à l'islam et son mariage avec

---

[15] Jacques Berque, *Le Maghreb entre deux guerres* (Paris: Seuil, 1956), p. 237.

16 La collaboration de Dinet et Slimane Ben Ibrahim a donné *Khadra la danseuse* en 1910, qui se passe exclusivement en milieu musulman dans le Sud.

un Algérien, les tracasseries policières dont elle est victime, disent bien ce rejet. En sens contraire, le regain d'intérêt dont elle est l'objet de manière périodique, et en particulier depuis quelques temps – avec les biographies de Denise Brahimi et Edmonde Charles-Roux, ou le film de I. Pringlen en 1991 – manifeste la fascination suscitée par la dualité et par l'errance. Mais, dans ses nouvelles, *Au pays des sables* et le *Major*, ce type de transgression se paye cher. Jean Amrouche, lui, a prononcé la condamnation à mort des monstres que sont les hybrides, les êtres porteurs de frères ennemis comme lui, et Henry Kréa rallie le camp des colonisés. Quant à Camus, qui ne peut choisir que la fidélité à sa mère, la femme algérienne est désespérément absente dans toute son œuvre littéraire. Au détour d'une notation, dans *Le Premier homme*, on en a une vision fugace à propos de l'impossible familiarité des communautés et du mystère des Arabes "dans leurs maisons inconnues, où l'on ne pénétrait jamais, barricadés aussi avec leurs femmes qu'on ne voyait jamais, ou si on les voyait dans la rue, on ne savait pas qui elles étaient, avec leur voile à mi-visage et leurs beaux yeux sensuels et doux au dessus du linge blanc".[17]

Sans doute a-t-on désormais conscience que la guerre des Sabines a été définitivement perdue par les colons. Selon Henri Déjeux, sur 152 romans français publiés entre 1954 et 1968 concernant l'Algérie, 12 seulement touchent au mariage mixte, dont 2 ou 3 ont choisi des personnages de musulmanes. Tranche par sa qualité, dans un registre anticolonialiste, *Elise ou la vraie vie,* de Claire Etcherelli paru en 1967. Rappelons que la presse de droite appelait les militantes françaises des réseaux de soutien au FLN "les femmes du FLN". Mais il s'agit de situations marginales.

Marginalité confirmée par les statistiques de l'état civil, qui recensent une soixantaine de ces unions, dont une vingtaine de femmes musulmanes en 1953.

Ce sont les Algériens qui reprennent le thème, s'en emparent dans la nouvelle littérature de langue française qui

---

[17] Albert Camus, *Le Premier homme* (Paris: N.R.F Gallimard, 1994), p. 257.

accompagne le mouvement de libération à partir des années 1950.

L'Européenne dans le Maghreb nationaliste

Le désir est présent dans à peu près toutes les œuvres, et la relation amoureuse entre dans le roman algérien moderne sous les traits de l'étrangère.[18] Les rapports de sexe qu'il présente ne se confondent pas en effet avec les genres anciens et très codifiés que sont la poésie amoureuse et la littérature érotique arabes.

Il n'y a pas d'amours heureux. Que ce soit chez Feraoun, Memmi, Chraïbi ou Kateb Yacine,[19] le couple est prisonnier des antagonismes entre colonisés et colons. C'est sans doute A. Memmi avec *Agar* (1955), bâti sur le drame et l'échec, l'affrontement des deux milieux, le déchirement du couple où chacun s'identifie à son monde et s'en fait le champion, qui a le mieux rendu compte de cette vision. "Je me persuadais enfin que le Nord c'était elle et le Sud c'était moi"! Comme le fait remarquer la critique nationaliste à Assia Djebar à propos de *La Soif* (1957),[20] la guerre d'Algérie rend indécents le narcissisme et l'hédonisme. Lakhdar, le personnage de Kateb Yacine, dit de la Française Marguerite qui est venue vers lui, "jamais je ne l'aimerai, mais je l'ai toujours regrettée". C'est Nedjma, qui symbolise l'Algérie recherchée.

La femme européenne exerce donc un mélange de fascination et de répulsion. Maîtresse savante et libérée, offerte – "elle sait que son ventre est offrande" (Malek Haddad) – mais elle est aussi ogresse, dévoreuse d'hommes, assimilée à la France, "la fille du bourreau". Rejetant les

---

[18] Ce cas extrême — femme étrangère et langue étrangère — tient aux caractères de la situation coloniale algérienne, alors qu'en Egypte et au Proche-Orient la littérature moderne en arabe émerge dès la fin du 19ème siècle.

[19] Sur 30 titres, J. Madelain, *L'Errance et l'itinéraire. Lecture du roman maghrébin de langue française* (Paris: Sinbad, 1993).

[20] Sur Assia Djebar, cf. Monique Gadant, *Peuples Méditerranéens*, no. 48-49, 1989.

seules explications en termes de conflit nationaliste, certains recherchent des interprétations plus anthropologiques. Mohamed Dib fournit une clef dans ses écrits qui suivent la guerre et qui s'éloignent des urgences militantes: pour lui, l'impossibilité du couple mixte est aussi celle de toute union égalitaire et constructive entre l'homme, "infirme sur le plan affectif", et la femme. Etre soi exige de renaître, et pour cela de reconnaître l'autre, sa femme, épouse, amante, pour elle-même, et non comme ombre de sa mère-sœur.

La littérature masculine reflèterait donc la relation qui existe entre la mère et ses fils, une relation qui explique en grande partie "l'attitude de l'homme vis-à-vis de "*l'autre*" femme, c'est-à-dire sa femme, et son désarroi face à elle.[21] Les écrits des romancières qui font suite à Taos Amrouche et Assia Djebar à partir des années 1970 dressent en effet un tableau très sombre des rapports entre hommes et femmes, le communautaire l'emportant sur le couple, la famille patriarcale et la belle-mère sur l'épouse. "Si la plupart des écrivains algériens ont ridiculisé la femme étrangère et abusé d'elle tout en la rejetant hors de leur existence, en fin de compte sous des prétextes d'ordre politique, c'est tout simplement dans le but de détruire un symbole qui dérange leur virilité".[22] Mais pour ajouter à l'ambiguïté du mixte, Assia Djebar, dans *l'Amour, la fantasia*, se dit insensible à une déclaration d'amour prononcée en français – qui est pourtant la langue de son écriture, celle de presque toutes les romancières algériennes, la seule qui permet alors de dire le *je*, le corps, le féminin – dont les mots ne l'atteignent pas.

La condamnation pour inégalité, aliénation, acculturation de l'union mixte et du métissage ne souffre pratiquement pas d'exception dans la littérature des décolonisations de Fanon (*Peau noire, masques blancs*, 1952) à Memmi dans *Agar* (1955) et dans *Portrait du colonisé* (1956). C'est même cet échec qui pour Memmi nourrit la flamme nationaliste. "Est-ce une coïncidence si

---

[21] Mohammed Dib, *Cours sur la rive sauvage* (Paris: Seuil, 1964).

[22] Ahlem Mosteghanemi, *Algérie. Femmes et écriture* (Paris: L'Harmattan, 1985).

tant de chefs colonisés ont contracté des mariages mixtes? Si le leader tunisien Bourguiba, les deux leaders algériens Messali Hadj et Ferhat Abbas, si plusieurs autres nationalistes, qui ont voué leur vie à guider les leurs, ont épousé parmi les colonisateurs? Ayant poussé l'expérience du colonisateur jusqu'à ses limites vécues, jusqu'à la trouver invivable, ils se sont repliés sur leurs bases... Eux savent, maintenant, que leur salut coïncide avec celui de leur peuple, qu'ils doivent se tenir au plus près de lui et de ses traditions. Il n'est pas interdit d'ajouter le besoin de se justifier, de se racheter par une soumission complète".[23]

La violence même des imprécations du discours nationaliste attribue aux mariages mixtes une portée qui renvoie à un problème d'une toute autre nature que les simples données statistiques. En Tunisie, ils ne représentent que 0,3% du total en 1959; en Algérie, où depuis 1962 les chiffres ne sont plus publiés, ils sont sans doute très peu nombreux.

C'est leur importance qualitative qui est perçue comme considérable: un journal marocain recense, dans les années soixante, sept ministres ayant épousé des étrangères. On a souligné le porte-à-faux des élites occidentalisées par rapport au pays profond. "Les époux mixtes seraient, en somme, le miroir grossissant de la condition du groupe biculturé, c'est-à-dire du groupe pilote du pays".[24]

Mais le caractère passionnel des réactions des associations féminines mérite une attention particulière. Déjà, en 1936, *Leila*, revue proche du Néo-Destour, avait mis en cause l'engouement des étudiants pour les Parisiennes. L'Union nationale des femmes tunisiennes, lors de son congrès de décembre 1962, reproche à "ces midinettes, filles des campagnes (sic)", de choisir des nantis et non "des paysans et des petits ouvriers". Elle met en doute leur sincérité et suspecte leur propension à la trahison, en

---

[23] Albert Memmi, *Portrait du colonisé* (Paris: J. J. Pauvert, 1966), pp. 171-172.

[24] Carmel Camilleri, *Jeunesse, famille et développement. Essai sur le changement socio-culturel dans un pays du Tiers Monde (Tunisie)* (Paris: CNRS, 1973), p. 100 et *Confluent*, no. 36, 1963.

rappelant tel complot contre le pouvoir où certains des protagonistes étaient mariés à des Européennes. Quant à l'Union nationale des femmes algériennes, elle demande, en novembre 1966, que ceux qui ont épousé des étrangères soient évincés des postes de responsabilité, voire des administrations.

L'Algérie est, semble-t-il, le seul pays du Maghreb où le pouvoir est intervenu pour stigmatiser les mariages mixtes, comme l'a fait le ministre des Affaires religieuses lors des Séminaires sur la Pensée islamique en août 1970 et 1971, et le Président Chadli en 1988. "Il n'y a pas de binationaux si les pères sont Algériens, ils sont Algériens et soumis à la loi algérienne". Critiquant "des complexés qui n'ont pas confiance dans leur personnalité, leur patrie, leur langue, leur civilisation et leur religion", il conclut: "les familles et particulièrement les maris doivent choisir clairement. S'ils veulent une culture étrangère, ils n'ont qu'à s'en aller vers le pays qui les réclame".[25]

Une responsable du FLN, qui sera ministre de l'Education Nationale en 1986, Zhour Ounissi, oppose à l'égoïsme des Européennes et à leur superficialité le dévouement de la femme algérienne qui vit exclusivement pour l'homme. Contre "le mélange des sangs, la confusion des esprits", elle prône une "origine pure, un enracinement de qualité, un sang, une âme, une éducation intègres".[26] L'imprécation n'a plus de bornes contre la femme algérienne qui franchit la limite. "Outre que la religion musulmane interdit à la femme le mariage avec l'étranger, le sentiment d'honneur qui anime chacun de nous doit empêcher l'existence d'une telle situation," déclare le ministre des Affaires religieuses dans *El Moudjahid* du 14 août 1970.

Fadela Mrabet, dans *La Femme algérienne* (1964) et *Les Algériennes* (1967), s'en prend à cette intolérance mêlant nationalisme xénophobe et islamisme, à la chappe de plomb qui étouffe les esprits et prépare, en effet, l'offensive

---

[25] Frederic Fritscher, "Le président Chadli refuse le concept de binationalité", *Le Monde*, 21 septembre 1988, p. 2.

[26] Cité par Jean Déjeux, *Image de l'étrangère. Unions mixtes franco-maghrébines* (Paris: La Boite à documents, 1989), p. 160 *sq*.

intégriste des années 1980. Surtout, elle relève, avec inquiétude, une distorsion entre le discours institutionnel, la langue de bois officielle et les attitudes des jeunes. Les courriers des lecteurs d'*Alger Républicain* en 1963, de *El Moujahid* en 1967, de même que ceux des journaux tunisiens - *Faïza* (1961-1962), *la Presse* (116 lettres en 1963) – ou du Maroc, révèlent en effet un large mouvement d'opinion en faveur du mariage mixte. Selon une enquête menée à Tunis en 1962, une majorité de lycéens (58%) et une proportion importante des lycéennes (28%) se disent favorables aux mariages mixtes, malgré les difficultés, les oppositions des parents (63% des Tunisois, 75% des provinciaux).

Il permet d'éviter la dot, argument qui n'est pas aussi trivial qu'on pourrait le penser, car l'impossibilité de remplir cette obligation interdit à beaucoup le mariage. Il apparaît comme l'expression de la modernité, sa voie royale, voire une contribution à la régénération d'un sang appauvri par la consanguinité, une ouverture à la différence posée comme positive à l'encontre d'une conception raciste de l'identité. Mais ce qui pointe de plus nouveau, c'est une affirmation féministe, la revendication du droit d'épouser des non-musulmans qui, pour la première fois, s'exprime publiquement et, avec elle, le principe de la liberté individuelle. Au nom de l'égalité, les jeunes filles protestent non pas contre les étrangères mais contre les interdits particuliers qui pèsent sur les femmes.

"A lire toutes ces lettres, il semble qu'une jeune Algérienne n'ait d'autre solution, si elle veut être heureuse, que d'épouser un étranger. Se marier contre son gré, épouser un Européen, devenir vieille fille: c'est encore le sort de la plupart des Algériennes".[27] A ce constat s'oppose la censure: "que deviendront alors la virilité, la gloire algérienne, le caractère national arabo-islamique de notre vigoureuse jeunesse? Dans quel état seront nos jeunes gens quand ils verront leurs sœurs entre les bras d'étrangers qui sont leurs ennemis et ceux de toute la nation arabe?" (Zhour Ounissi, *El Djeich*, septembre 1965).

---

[27] Fadela Mrabet, *La Femme algérienne* (Paris: Maspero, 1964), p. 113.

Frayeur excessive et compassion inutile: de telles transgressions ont été exceptionnelles, et la stigmatisation qui les frappe, au nom de la nation et de l'islam, les a rendues quasi impossibles. Quand la Ligue tunisienne des droits de l'homme inscrit dans sa charte en 1985 que "l'homme et la femme ... ont le droit de se marier et fonder une famille sans aucune restriction pour cause de race et de religion", elle est violemment prise à partie par les islamistes. Et seules les associations féministes les plus radicales ont adopté cette position lors de la Conférence mondiale des femmes à Pékin en 1995. Il est vrai que dans un film sorti en 1996, *Un été à la Goulette*, les trois héroïnes, musulmane, juive et catholique, bravent tous les tabous en décidant de connaître au sens biblique du terme, chacune un jeune homme de la confession opposée. Tout finit bien, les péripéties permettant aux héroïnes de ne pas passer à l'acte, et le Tartuffe dénonciateur, intégriste et libidineux succombant à la vue du corps qu'il désirait s'approprier. Cette œuvre, qui cultive la nostalgie du cosmopolitisme, a eu un beau succès de diffusion en France et en Tunisie. Mais la réalité ne dépasse pas encore la fiction.

C'est seulement dans l'émigration que le couple mixte est devenu, y compris pour les jeunes Algériennes, une réalité sociale assez importante pour qu'elle ne puisse plus faire figure de situation marginale.

Migrants et mutants

L'émigration a en effet considérablement transformé les conditions du mariage, qui se fait de plus en plus souvent en France. Avec le regroupement familial et la reproduction des générations, un marché matrimonial s'y est constitué. L'endogamie stricte, qui y est difficilement réalisable, serait deux à trois fois plus faible qu'au pays. Surtout, les Algériens vivent une situation de minorité dans une société où la famille et le statut de la femme leur paraissent aux antipodes du modèle traditionnel. Par ailleurs, la France a une tradition d'assimilation à travers les mariages mixtes, qu'on évalue à un million entre 1918 et 1984. Ils représentaient 12% du total contre 9,7% en Allemagne en 1991.

De nouveaux discours apparaissent donc, en particulier celui du sociologue qui est devenu classique. Le mariage mixte a fait l'objet de travaux universitaires récents, de thèses et colloques, qui consacrent la légitimité des interrogations. Quelle est sa signification en matière d'intégration, en quoi éclaire-t-il les relations interculturelles?... Mais le discours scientifique ne saurait faire oublier que ces unions ont toujours fait problème, hier celles nouées avec des Polonais ou Italiens, aujourd'hui avec les Maghrébins.[28] Leur accroissement s'accompagne – par un paradoxe apparent – d'un alourdissement de la suspicion. Dans quelle mesure s'agit-il de mariages de complaisance destinés à couvrir une immigration clandestine? La Mairie de Paris les a évalués au tiers, et la Mairie de Toulouse à 44%. Chiffres fantasmagoriques! Dans l'opinion domine le sentiment que les mariages, blancs ou non, ne sont jamais clairs. A partir des sondages on peut dresser une Carte du Tendre où les Nord-Africains sont les plus mal lotis avec 14% de réponses favorables contre 59% pour les Italiens en 1974. Pas plus qu'en Algérie, la binationalité n'est acceptée, et la possibilité d'un choix entre les deux pays pour effectuer le service national, la double allégeance, font l'objet de réactions négatives. Alors même que les signes de l'intégration se précisent, que l'école, la rue, le quartier mêlent les jeunes, comment expliquer cette insistance en faveur d'une "désintégration" par le mariage mixte, dont E. Todd va jusqu'à faire une condition de la tolérance française? Comment expliquer que les autres confessions ne fassent pas l'objet d'une telle pression? Dans la décennie 1966-1975, les deux tiers des mariages juifs étaient endogamiques.[29] Ces

---

[28] Cf. Ralph Schor, *L'Opinion française et l'immigration (1919-1939)* (Paris: Publications de la Sorbonne, 1985), qui analyse la littérature de l'entre-deux-guerres, et Georges Mauco, auteur de la première thèse de géographie, *Les Etrangers en France* (Paris: Colin, 1932).

[29] Doris Bensimon et Sergio della Pergola, *La Population juive de France. Socio-démographie et identité* (Paris: CNRS, 1985).

différences font ressortir des tensions propres au mariage musulman.

Certes, les situations ne sont pas figées. Cependant, une évolution analogue à celle des immigrations précédentes se heurte, à propos des Africains et des Maghrébins surtout, à la mise en avant de différences posées comme insurmontables. L'allure d'affaire d'Etat prise par les enlèvements d'enfants franco-algériens, qui se sont multipliés dans les années 1970 pour atteindre le chiffre d'un millier en 1984, la lenteur à accepter une convention appliquant l'esprit de celle de La Haye en 1980, signée par le Maroc le 10 août 1981 et la Tunisie le 18 mars 1982, mais seulement le 21 juin 1988 par l'Algérie, les manifestations spectaculaires et très médiatisées des “mères d'Alger” ont rappelé les difficultés liées aux conflits de droit. Les mariages mixtes continuent de subir les rapports inégalitaires et les tensions caractérisant les relations entre l'Algérie et la France, chacune soupçonnant le conjoint étranger – ambassadeur de son pays – de poursuivre leur guerre des Sabines.

L'immigration maghrébine, soit en raison de sa soumission au surmoi nationaliste, soit par une conscience aiguë et juste de la gigantesque acculturation suscitée par le mariage mixte, en a une perception très négative.

Du côté français, les statistiques sont scrutées avec attention. Pour compenser leurs insuffisances, car elles ne portent que sur la nationalité des époux à l'exclusion de tout renseignement sur leur confession et leur origine, la pratique des enquêtes apportant des informations sur les ascendants ou la religion des conjoints, devient courante. Sous un titre qui dit bien son programme, *Faire France* (1996), Michèle Triballat montre que les populations d'origine nord-africaine, algérienne surtout, manifestent une résistance particulière. Le taux des mariages mixtes est de 15% chez les jeunes filles nées en France, et il serait encore plus bas si l'on pouvait inclure dans le total ceux qui sont célébrés au pays d'origine. Taux très faible si on le compare aux 73% des Espagnoles et 47% des Portugaises.

400 mariages d'Algériennes avec des Français en 1975, 1766 en 1989, quelque 2000 aujourd'hui, avec tendance à un tassement: de tels chiffres, qui n'ont pas de précédents et traduisent une tendance irréversible, révèlent aussi une pression familiale considérable. Il n'y a pas là que répression, mais aussi la valorisation du mariage et de la maternité, l'attirance de la chaleur des réseaux féminins, que la modernité française ne connaît plus. Rançon de cette situation, les observateurs ont relevé récemment une inhibition de la vie amoureuse des jeunes filles, qui se marient beaucoup plus tard que les Françaises et vivent chez leurs parents.

Prompte à s'émouvoir, l'opinion, d'affaire des foulards en scandale des rapatriements forcés, de fugues de "beurettes" en réussite scolaire, s'interroge sur les tensions entre assimilation et tradition, rejouant le drame classique de l'époque coloniale. Son préjugé favorable envers les jeunes filles sera-t-il confirmé, ou bien la méfiance envers les trahisons possibles se vérifiera-t-elle?

Mais peut-être l'avenir passera-t-il entre ces extrêmes? Autre fait nouveau, en effet, et sans doute le plus important, les enfants de la mixité sont désormais une réalité qui a pris corps. Le choix de leur prénom est toute une affaire qui permet aux sociologues de tester l'identité prédominante.[30] Les recherches montrent la prédominance du modèle français dans tous les couples, ce qui rassurera les assimilationnistes, mais on constate aussi l'apparition d'un bon quart de prénoms mixtes eux aussi, ou d'ailleurs.

Enfin, l'enfant métis est devenu personnage littéraire et vit sa vie propre. Dans le roman colonial, il était à peu près complètement absent, et n'apparaissait – sauf exception – que comme symbolisant la médiation entre les communautés ou, au contraire, le drame du conflit des races. Dans la littérature maghrébine, chez Driss Chraïbi ou chez Mammeri, l'idée d'avoir un enfant qui serait "rejeté par

[30] Cf. J. Streiff-Fenart dont les résultats sont très différents de ceux de M. Muller. Si le père est maghrébin les prénoms arabes représentent 29 % du total, contre 44,2 % de prénoms français et 6,3% contre 73% si le père est français.

tous", qui ne serait "chez lui nulle part" était un motif de rupture avec la femme européenne; chez Feraoun, la situation de "fils de Madame" est impossible. L'héroïne de *La Soif* de Assia Djebar, dont la vie, vouée à la recherche d'un accomplissement personnel hors du salut nationaliste, est si vide, est fille d'un couple mixte. A. Djebar se félicite du rôle du harem qui a réduit ces cas à des exceptions. "Jamais le harem, c'est-à-dire l'interdit, qu'il soit d'habitation ou de symbole, parce qu'il empêcha le métissage de deux mondes opposés, jamais le harem ne joua mieux son rôle de garde-fou, comme si mes frères et par là mes geôliers avaient risqué une perte de leur identité: étrange déréliction qui fit dériver jusqu'à leur figure sexuelle".[31] Cette situation n'est pas transposable en France, où l'invention du mot beur – si discutable qu'il soit – rend compte de la réalité nouvelle. Dans le même sens, le rapport ambigu avec la langue française le cède à l'élaboration d'une langue délibérément métissée, d'une recherche sur l'écriture, sur les mots, sur les nominations. Dans *Amour bilingue* (A. Khatibi, 1983), deux amants créent leur bi-langue, qui survit à leur séparation et exprime la revendication de l'hétérogénéité, de l'errance.

Le Chinois vert d'Afrique, selon Leïla Sebbar (1984), assume ses identités fluides en changeant de vêtements et de prénoms.Mohamed/ Momo/ Hamdou/ Hami/ Madou, et Shérazade, selon ses volontés, est Camille, Rosa ou Balkis. Ainsi encore, Lil redevient Lila quand son père meurt. "La nuit est arabe", et elle décide "d'habiter son nom".[32] Rappelons l'importance de l'androgynie, des variations de sexes chez Taos Amrouche, Dib, Tahar Ben Jelloun, Khatibi, Mehdi Charef ou Meddeb.

Bâtards ou non, désirés, pourchassés parce que non conformes ou non conformistes, les enfants illégitimes sont devenus écrivains à leur tour. Nombre de romancières – Myriam Ben, Leïla Sebbar, Nina Bouraoui, Antoinette Benkeroun – sont issues de couples mixtes, ou vivent une

---

[31] Assia Djebar, *L'Amour, la fantasia* (Paris: J.C. Lattès, 1985), p. 145.

[32] Tassadit Imache, *Une Fille sans histoire* (Paris: Calmann-Levy, 1989), p. 188.

union mixte telles Fatima Gallaire, Djura, Fadéla Mrabet. S'agit-il d'écrivains maghrébins de langue française, d'une littérature de beurs? Les classifications réifient, figent ce qui est mouvement, errance. Le principal changement actuel est sans aucun doute que le métis franco-maghrébin, après avoir été longtemps l'objet d'un discours en est désormais le sujet. Son discours a des allures iconoclastes quand il revendique contre tous les ordres, contre la "théologie d'Etat asservissant les Arabes modernes" (*Talismano* de Meddeb), aussi bien que contre "l'aller simple" imposé par la France.[33]

[33] Van Cauwelaert, *Un Aller simple* (Paris: Albin Michel, 1996), prix Goncourt.

MES TROIS IDENTITES

Henri Lopès

Je me réclame de trois identités culturelles.

La première est mon identité originelle. Celle qui me rattache à ma communauté. Je ne la justifierai ni ne la décrirai, sinon en termes télégraphiques. Elle est à l'ordre du jour depuis plusieurs décennies. Nous l'avons d'abord appelée négritude, puis sentiment national, puis authenticité, finalement nous nous avons tous adopté le vocable d'identité.

Lorsqu'on a été colonisé, l'identité originelle n'est jamais acquise. Nous devons chaque jour repartir à la quête de nos racines. Je recherche mes Afriques aussi bien dans le temps, que dans l'espace, quelquefois en profondeur. L'Africain est semblable aux lamantins du célèbre poème de Senghor. Chaque nuit, il remonte le fleuve pour se désaltérer à la source. Que l'on soit un pur-sang (si ce terme à un sens) ou un sang-mêlé, notre identité ne nous est pas donnée au berceau, nous devons la construire.

La prise de conscience de nos identités originelles nous a fourni notre légitimité. Grâce à elle, nous avons cessé de nous exprimer d'une manière empruntée. Elle nous a permis de faire apprécier au monde un ton littéraire nouveau. Cette vague nouvelle a non seulement affecté les thèmes abordés mais a également suscité un renouvellement des formes d'expression. Jacques Roumain, le premier, en Haïti, Ahmadou Kourouma en Afrique, Edouard Glissant, Simone Schwarz-Bart, Lovelace, Raphaël Confiant, Patrick Chamoiseau et Gisèle Pineau aux Caraïbes, ont donné une nouvelle saveur aux langues dans lesquelles ils s'exprimaient. Depuis eux, nous n'avons plus honte de parler avec nos différents accents.

Mais aujourd'hui, ce sont surtout des limites de l'identité originelle que je voudrais vous entretenir. Il pourrait suffir à cet effet de répéter le mot du jeune Wole Soyinka selon qui “le tigre n'a pas besoin de crier sa tigritude; il la vit”; ou de rappeler quelques exemples célèbres de dévoiements de la négritude tels que le duvaliérisme ou la politique d'authenticité de quelques dirigeants africains.

Sur le plan de la vie, le culte prononcé de l'identité culturelle, originelle, nationale ou religieuse, conduit à des attitudes d'exclusion qui font le lit de l'obscurantisme ou du fondamentalisme. Nos civilisations étaient riches de sagesse, mais elles possédaient, comme toutes les cultures, des zones de barbarie. Le féticheur soignait et guérissait, tandis que le sorcier, jettait des mauvais sorts et tuait. Nous avions des héros, des sages, mais aussi des esprits retors, vils et peu reluisants. Sans la complicité de certains de nos ancêtres, la traite négrière n'aurait jamais fait d'aussi gros profits. Nous portons la responsabilité de cet odieux trafic tout autant que les trafiquants venus d'au-delà des mers. Il existe aussi dans nos cultures des attitudes d'exclusion contre le voisin dont les tatouages sont différents des nôtres, dont les coutumes, et la langue nous sont incompréhensibles. Pour ouvrir l'esprit de ses contemporains, Montesquieu fustigeait ceux qui s'étonnaient qu'on fût Persan. Aujourd'hui, en Afrique, nous nous demandons encore comment ceux qui vivent à peine de l'autre côté de la rivière, ou sur l'autre versant de la montagne, peuvent être Hutu, Tutsi, Bakongo, Baluba ou Batéké. Aveuglés par des préjugés, qui pourraient bien mériter le nom de nazisme tropical, nous sommes capables, dans certaines circonstances, de nous jeter, la machette à la main, sur le voisin et de l'éliminer, comme si nous étions des fauves lancés à la chasse de proie appartenant à une espèce différente.

Réfléchissant sur l'actualité de sa région, mon ami Predrag Matvejevic, un écrivain de l'ancienne Yougoslavie, déclarait récemment, qu'à force de rêver de nos identités et d'idéaliser l'histoire de nos petites communautés, nous les avions fait surgir dans la réalité de notre quotidien, sous forme de cauchemar.

Avions-nous donc oublié que les droits de l'homme n'ont progressé que sous l'action de penseurs et d'écrivains qui n'ont pas craint de "trahir" leur communauté? Quand Montaigne se fait Amérindien contre les Européens, il est accusé de trahison par les siens: ainsi de Montesquieu, de l'Abbé Grégoire, de Las Casas, de John Brown, pour ne citer que quelques uns. Ainsi, tout récemment d'André Brink, de Breyten Bretenbach, de Doris Lessing et de Nadine Gordimer, qui n'ont pas hésité à vivre la situation inconfortable du nègre-blanc, à moins que ce ne soit celle du Blanc-nègre, aux temps de l'apartheid. Et je n'oublie ni Salman Rushdie, ni Taslima Nasreen. Pour un René Depestre qui peut clamer sans être inquiété, "bonjour et adieu la négritude", que d'écrivains algériens, martyrs pour avoir voulu enrichir par leurs œuvres et leurs vies leurs identités culturelles, pour avoir proclamé que la francophonie constituait une dimension de leur identité nationale. A des degrés divers, l'écrivain est, selon la formule d'Aragon, "en étrange pays, dans son pays lui-même".

Ma deuxième identité est mon identité internationale. Alors que l'identité originelle, s'assume, celle-ci constitue un acte volontaire par laquelle je passe de la communauté familiale à la communauté des esprits.

J'appartiens en effet à plusieurs familles et mon œuvre se nourrit indistinctement aux mamelles qu'elles m'offrent. Au delà du Congo, je me sens Africain. Les ouvrages de Senghor, de Chinua Achebe, de Wole Soyinka ou de Ben Okri me concernent et m'aident à mieux comprendre mes compatriotes congolais. Et par delà le continent, je me sens solidaire de la famille francophone, de tous ces écrivains auxquels j'accède sans intermédiaire parce que nous avons en partage une complicité d'expression.

Français langue nationale? Français langue officielle? Français langue première ou seconde? En tout état de cause, le français n'est plus en Afrique une langue étrangère. D'origine étrangère, elle est aujourd'hui une langue africaine, au même titre que nos langues maternelles. Ma grand-mère faisait quelquefois l'effort de me parler *en* français, mon père parlait lingala et *le* français, je prétends parler français.

Au delà de la francophonie, je me sens solidaire de la diaspora noire des Amériques et des Antilles: Richard Wright, Langston Hughes, James Baldwin, Nicolas Guillen, Lovelace, n'ont jamais mis les pieds au Congo, pourtant c'est pour moi qu'ils ont écrit. Ils constituent une partie des Afriques que découvre le “chercheur” d’un de mes romans.

Aux temps de la lutte coloniale et au cours des premières années de la construction nationale, je me faisais un point d’honneur de brûler les livres d’histoire qui prétendaient que mes ancêtres étaient les Gaulois.

Aujourd’hui, je proclame que, tout bien considéré, à côté de mes ancêtres bantous, je possède aussi des ancêtres gaulois. Mieux, je les revendique. Il ne s’agit évidemment pas de Vercingétorix, mais d'Homère, de Platon, d’Ovide, de Montaigne, de Montesquieu, de Voltaire, de Jean-Jacques Rousseau, de Flaubert, de Gœthe, de Heine, de Shakespeare, de Rainer-Maria Rilke, mais je m’essoufle. Il serait plus simple, plus clair et plus pratique de dire qu’il s’agit de cette bibliothèque que je me composerais à la hâte, pour mon île déserte. Il s’agit surtout d’Antigone.

J’ai longtemps cru que le multiculturalisme était le lot du métis, la marque de sa bâtardise, sa rouelle. En fait, c’est le lot commun: les écrivains ressemblent plus à leurs frères qu’à leur pères. A la limite, le concept de littérature nationale est discutable. Les écrivains entretiennent entre eux des liens et des dialogues, qui se rient des frontières et du temps. Seule quelquefois, la langue empêche certaines rencontres. Une littérature qui se nourrirait uniquement du patrimoine national ressemblerait à ces familles qui pratiquent le mariage consanguin. Elle ne dépasserait pas le niveau du provincialisme, se scléroserait et dépérirait par manque d’oxygène. Plus grave, à force de pratiquer l’exclusion, elle génèrerait le sectarisme, l’obscurantisme et l’étroitesse d’esprit. Elle dégénèrerait. Une véritable création artistique échappe à son auteur, à la société qui l’a vue naître, elle échappe aux rides du temps.

Peut-on dire sans sourire que Platon et Homère sont d’abord et avant tout des Grecs, rien que des Grecs; que Shakespeare est Anglais, rien qu’Anglais? Ou, s’ils le sont quand même, c’est d’une Grèce et d’une Angleterre, qui ne ressemblent pas à celles d’aujourd’hui et qui sont remplis de situations et peuplés de personnages qu’il m’est donné de rencontrer chaque jour au Congo.

Ma troisième identité, celle qui constitue la signature

de l'écrivain, est mon identité personnelle. Lorsqu'une littérature se trouve dans la période de lutte d'indépendance ou de construction nationale, elle a tendance à mettre l'accent sur l'identité nationale et à noyer l'identité individuelle. L'individu s'identifie à sa communauté et n'existe que par elle seule. Deux écrivains égyptiens, qui publient sous le pseudonyme de Mahmoud Hussein, ont analysé ce phénomène dans un ouvrage intitulé *Version sud de la liberté*.

En effet, dans les littératures militantes, les auteurs disent plus souvent *nous* que *je*. Et quand il leur arrive de s'exprimer à la première personne du singulier, c'est en fait à un *je* collectif qu'ils ont recours. Quand Césaire. Senghor et Damas disaient *je*, nous savions que c'était *nous* qu'ils entendaient.

Aujourd'hui, en revanche, et en tous cas plus qu'hier, l'auteur de l'hémisphère sud a le devoir de descendre en lui et de parler en son nom personnel.

Hier, chaque fois qu'effleurait la tentation de dénoncer les dévoiements de l'identité nationale ou les dictatures qui se dissimulaient derrière le drapeau de la nation, nous nous réfrénions de peur, pensions-nous, de faire le jeu de l'ancien colonisateur ou de l'impérialisme. La formulation de la moindre critique sur ce qui se passait chez nous était considéré comme une trahison nationale. Nous nous sentions le devoir de nous présenter toujours comme des chevaliers sans tache et sans reproche tandis que l'Europe et l'Amérique devaient être globalement inculpées des mille péchés mortels. A l'exercice de cette forme de "centralisme démocratique", nous avons fait le jeu des dictateurs auxquels nous avons servi d'alibi. Au nom du droit des peuples, nous avons étouffé des droits humains. Il faut aujourd'hui pratiquer le culte de l'individu, qui n'a rien à voir avec l'égoïsme. Celui-ci place sa personnalité au-dessus des autres, quitte à les piétiner tandis que celui-là veut le développement de tous les individus sans exception, ce qui implique deux choses: la limite à sa propre liberté et le devoir de tolérance.

Aucune société n'a progressé sans faire sa propre critique, sans que ses créateurs et ses penseurs ne se mettent à contre-courant des bien-pensants. Cela comporte quelques risques: la vie n'a pas été facile pour Montaigne, Descartes, Montesquieu, Voltaire, Victor Hugo et quelques autres de mes ancêtres gaulois. L'Afrique a besoin d'imprécateurs pour sortir des ornières dans lesquelles elle s'embourbe. Ce ne sont pas seulement nos pouvoirs qu'il s'agit de dénoncer. L'heure est venue de passer nos comportements et nos cultures au crible de la raison et à l'étamine d'une éthique universelle. Hitler ne loge pas seulement dans les palais présidentiels. La "bête immonde" dont parlait Brecht rode aussi dans les camps des réfugiés du Rwanda et du Burundi, elle habite le corps et l'esprit de nombreux réfugiés eux-mêmes.

En terminant par mon identité personnelle, je me place sans doute en marge de ma société réputée collective et solidaire. Mais n'est-ce pas là la rançon de la création qu'elle soit de nature littéraire ou scientifique? Chaque fois que ce débat m'agite et menace de m'arrêter, c'est pourtant dans la sagesse populaire de mon pays que je trouve des raisons de persister. Car, dit un adage congolais, "Aujourd'hui, tu sculptes le tamtam dans la solitude, demain il fera danser le pays".

DU METISSAGE AU DECENTRAGE: EVOLUTION DU TROPE GENETIQUE DANS LA LITTERATURE POST-COLONIALE EN FRANCE

Michel Laronde

Cette présentation est axiomatique. Elle suppose que le concept de race reste le principe qui structure et dynamise les représentations esthétiques du métissage dans les littératures post-coloniales en général. Ici, le champ post-colonial est restreint aux littératures des immigrations en France puisque les incursions textuelles concernent deux romans contemporains, un des romans beurs ou arabo-français de Leïla Sebbar, *Le Chinois vert d'Afrique* et *Le Petit prince de Belleville,* le premier roman afro-français de Calixthe Beyala.[1] L'autre ligne consiste à rappeler les articulations conceptuelles et politiques majeures qui ont permis l'évolution du trope du métissage, en gros, d'une valeur idéologique hors du texte (c'est le métissage *dans* le texte) à une valeur esthétique comme pratique textuelle (c'est le métissage *du* texte).

• • •

Le titre même du roman de Leïla Sebbar, *Le Chinois vert d'Afrique*, ouvre un espace discursif pour un sujet spécifiquement post-colonial, le descendant de l'immigration maghrébine en France, par cette porte de la biologie et de la race. L'unité linguistique qui constitue le titre crée une

---

[1] Calixthe Beyala, *Le Petit prince de Belleville* (Paris: Albin Michel, 1992); Leïla Sebbar, *Le Chinois vert d'Afrique* (Paris: Stock, 1984).

concaténation de références au métissage racial par le rapprochement des deux termes *Chinois* et *Afrique*. Lorsqu'on lui demande d'expliquer pourquoi il est désigné sous le pseudonyme du "Chinois", Mohamed, le jeune garçon issu de plusieurs origines ethniques, "tire ses yeux vers les tempes" (*Chinois*, p. 122), un geste, un signe, qui fait allusion au code génétique dans le domaine de la race comme raison pour l'utilisation du terme. L'autre terme, *Afrique*, est géographique mais vaut pour la race noire si j'accepte, même de manière très vague, la convention culturelle occidentale pré-moderne qui consiste à faire signifier certains lieux géographiques (les continents en particulier) comme équivalents de races distinctes.[2] Quand l'unité *le Chinois d'Afrique* est assemblée, elle génère un discours sur les peuples en migration d'un espace d'origine conventionnel pour une race (l'Asie) à un autre espace géographique qui renvoie à une autre race (l'Afrique). Il s'agit aussi d'un discours d'immigration puisqu'un sujet colonial (l'Asiatique venu d'Indochine) entre dans l'espace d'un autre sujet colonial (l'Africain du Maghreb). C'est seulement lorsque le troisième terme de la nominalisation, *vert*, est introduit, que la signification des deux autres unités, *le Chinois* et *Afrique*, et leur combinaison, *le Chinois vert d'Afrique*, en vient à fonctionner dans le domaine du métissage racial: le terme *vert* fonctionne en priorité comme marqueur de couleur, qui renvoie ici au code génétique de par son interaction avec les deux autres termes. Lié à l'unité *le Chinois*, *vert* sert déjà de marqueur d'un métissage génétique qui étend le paradigme chromatique (blanc, noir, jaune) au-delà du directement

---

[2] Cette utilisation interprétative peut sembler désuète et, partant, naïve au vu de la modernité. Et pourtant c'est bien ce qui se passe avec les situations tropologiques: ce n'est pas toujours le support qui change, c'est souvent sa lecture. Car si la notion de races humaines distinctes a disparu du domaine scientifique, elle reste bien présente, en particulier dans les domaines culturels et politiques dont l'évolution est plus lente. Mais à l'inverse, un discours politique raciste pourrait tout aussi bien accepter les résultats du domaine scientifique et se nourrir d'un simple déplacement terminologique où le terme d'*espèce* viendrait se substituer à celui de *race*.

référentiel quant à l'humain. Un métissage génétique empirique qui, pourtant, fait sens puisque la couleur renvoie sans équivoque à une extrême Altérité. *Vert*, couleur de l'Etrangeté, étend le discours aux êtres extra-humains comme les a rêvés la science-fiction.[3]

Qu'a la science-fiction à faire dans un discours sur le métissage, me direz-vous? Beaucoup plus qu'il n'y paraît si je considère justement que tout discours où le concept de race est soutenu par les référents de couleur n'a aucune validité scientifique. On sait que les séparations de l'humain en races distinctes basées sur la pigmentocratie sont battues en brèche par la science moderne. La couleur, quelle qu'elle soit, n'est donc qu'un enrichissement poétique du trope du métissage. Dans ce cas, ajouter le marqueur *vert* au paradigme n'est rien plus qu'ajouter au même discours en l'élargissant à une dimension nouvelle. *Vert* dépasse le discours connu en en repoussant les limites et en donnant lieu à un décentrage qui rendrait peut-être compte de l'évolution du trope dans le discours des immigrations. Il n'est pas insignifiant en effet qu'on retrouve dans un autre titre de roman arabo-français, *Les A.N.I. du "Tassili"* d'Akli Tadjer,[4] une nominalisation, "les A.N.I.", valant pour "les Arabes Non-Identifiés", qui nous renvoie à cette question d'extra-terrestres comme pôle ultime du paradigme de l'humain. Par chaîne associative, "les A.N.I.", dont le sens de non-place et de non-identité "sur la terre" pour les "enfants de l'immigration" est développé dans une longue allégorie génétique,[5] confortent par extrapolation

---

[3] L'anglais permet de mieux cerner l'écart que je sens entre "Altérité" comme *foreign-ness* et "Etrangeté" comme *alien-ness*. Aux Etats-Unis, cet écart se marque subtilement dans la documentation officielle qui veut que le titre de "résident permanent" soit intitulé "*resident alien*".

[4] Akli Tadjer, *Les A.N.I. du "Tassili"* (Paris: Seuil, 1984).

[5] La dimension génétique est bien présente tout au long de l'allégorie. "J'ai été doté à la naissance d'un chromosome supplémentaire que seul un peuple sur la planète possède. Son nom: '500.000 ANI'", explique le narrateur. La métaphore se fonde sur le métissage racial passé au crible de l'ironie. "Le célèbre généticien Peter Rampling", continue le narrateur, "affirme que ce serait le résultat de la descendance d'une femme et d'un homme venus du Maghreb dans les années cinquante, le tout additionné

le terme *vert* comme signe d'une différence raciale inclassable. Le signe inscrit la nominalisation dans le domaine d'un métissage à la fois nouveau et inconnu, puisque *vert* va au-delà du discours conventionnel des échanges interraciaux. Avec les extra-terrestres, le discours touche à une dimension cosmo-génétique du métissage. Dans *Le Chinois vert d'Afrique*, lorsqu'il est lié aux deux unités *le Chinois* plus *Afrique*, *vert* contribue au brouillage des référents. Bien sûr, ceci est aussi au-delà du scientifique. Est-ce précisément par dérision du scientifique que le terme *vert* s'est étendu au trope du métissage? Ou la raison est-elle un besoin d'enrichir une rhétorique dans un sens idéologique? Ainsi le terme ouvre la signification dans la direction d'un exotisme impressionniste. L'exotisme à son tour fait allusion à l'Altérité, l'Etrangeté et l'Etranger. Il n'en reste pas moins qu'avec le métissage racial, créativité fictionnelle et théorie scientifique ont en commun des supports linguistiques d'une étonnante affinité, et *vert* est l'exemple le plus récent de cette extension. On peut donc s'attendre à partir de cet usage du terme *vert*, à ce que revendiquer le biologique comme noyau du trope du métissage dans le champ esthétique mène à un vaste faisceau de pratiques textuelles.

C'est pourquoi je me dois d'établir hors texte le pôle qui me servira de référence pour suivre certaines des articulations de la dimension biologique du trope dans le champ esthétique. Ma première incursion hors de l'écriture romanesque m'a conduit[6] à choisir un modèle de métissage racial développé dans un essai de l'anthropologue Cornélius de Pauw publié en 1774, *Recherches philosophiques sur les*

---

d'un gaz d'origine encore inconnue que l'on respire en banlieue parisienne, lyonnaise ou marseillaise". (Voir *Autour du roman beur* [Paris: L'Harmattan, 1993], pp. 68-71 en particulier).

[6] Ce travail reprend en effet comme point de départ ce qui touche au *Chinois vert d'Afrique* et à la question d'identité raciale dans le chapitre IV de *Autour du roman beur*, "Métissage et identité". Le même point de départ est aussi celui d'un article sur le métissage du texte publié dans les actes du colloque *Métissage du Texte. Bretagne. Maghreb. Québec* tenu à Rennes, Coord. Bernard Hue, Plurial, Rennes, PUR et CELICIF, vol. 4, 1993.

Américains.[7] Ce n'est qu'un exemple parmi d'autres d'une codification courante qui pose la "pureté" raciale comme positive pour lui opposer l'antonyme de "métissage" racial comme négatif. La théorie anthropologique de Cornélius de Pauw vise à établir qu'il est des manières scientifiques d'enrayer jusqu'à l'effacer le métissage génétique. A cet effet, il utilise un modèle où l'expérience doit se dérouler selon une codification stricte: un(e) représentant(e) d'une race "pure" est accouplé(e) à un(e) représentant(e) d'une autre race "pure" à la première génération du métissage. Dans le modèle de De Pauw, la femelle est censée rester pure sur les trois générations suivantes, alors que le mâle doit être le résultat d'un métissage cumulatif, c'est-à-dire être de plus en plus métissé, montrer (littéralement) de moins en moins de caractéristiques de sa race d'origine à chaque génération. Dans ces conditions, la conclusion théorique est qu'à la cinquième génération après le premier croisement, ou la quatrième génération du métissage, toutes traces visibles de la race d'origine chez le mâle ont été effacées. Il en résulte un retour à la pureté raciale de la femelle. La race représentée par la femelle a gagné la bataille des gènes sur une période de quatre générations de croisements interraciaux.

La validité de la théorie à l'époque semble être confirmée par la langue française. Théorie génétique et système linguistique reconnaissent deux races principales, basées sur la pigmentation, la race noire et la race blanche. Le dictionnaire français offre des termes pour les première, deuxième et troisième générations de métis issus du croisement des deux races, respectivement *mulâtre*, *quarteron*, et *octavon*. Au-delà de la troisième génération, le silence de la langue semblerait reconnaître l'impropriété du concept de métissage. Lorsque les mêmes limites linguistiques marquent encore deux siècles plus tard la conceptualisation, ne serait-il pas approprié de se poser la question de savoir dans quelle mesure le concept aurait perdu sa valeur idéologique négative? La même finalité semble bien découler de la superposition des deux systèmes: la non-existence d'une

---

[7] Cornélius de Pauw, *Recherches sur les Américains* (Ed. de Berlin, 1774).

filiation durable pour le métissage génétique chez l'être humain puisqu'elle aboutit à une annulation entretenue par un silence linguistique. En fait, le modèle théorique de De Pauw est ambigu lorsque je le lis à partir d'angles culturels historiquement différents.

Au dix-huitième siècle, le discours de De Pauw était probablement "culturellement correct" en plus de l'être du point de vue scientifique, et positif pour les philosophes et anthropologues de l'époque. Sinon, Buffon l'aurait-il adopté dans ses *Additions* de 1777 aux *Variétés dans l'espèce humaine*? Le métissage racial est une tare qui peut être supprimée. A condition de suivre la "cure" suggérée par le modèle, la "guérison" se caractérise par une "régénérescence" naturelle qui conduit à la "purification", autant de termes qui font dangereusement allusion à la maladie, et à une clôture par occultation.[8] Du point de vue génétique, l'occultation repose sur le fait que l'acte même d'effacer le métissage à la quatrième génération fait fi du raisonnement scientifique, ou de la simple logique mathématique. La science oblitère au moins discursivement l'existence de tout métis qui ne s'efforce pas de retrouver la pureté. Quand le non-dit du scientifique est dévoilé, le discours positif tourne au drame. Il fera surface de temps à autre, très clairement au dix-

---

[8] A un niveau strictement philosophique et théorique, tout ceci semble assez anodin jusqu'à ce qu'on songe aux conséquences qu'il y a à opter pour un discours à prétention purement scientifique comme celui de De Pauw. Le discours conclut au métissage comme tare dans le sens d'une défectuosité héréditaire susceptible de diminuer la résistance de l'organisme. Ce qui amènera Jean Rostand à dire deux siècles plus tard: "Par l'application de la stérilité eugénique on pourrait (...) raréfier considérablement les tares dominantes". Ou, encore à propos de l'eugénisme, qui préconise la stérilisation des dégénérés, le même Rostand rappelle que "vers 1870, le cousin de Darwin, Francis Galton, fonde l'Eugénique scientifique, dont l'objet, selon lui, doit être double: entraver la multiplication des ineptes (...) et améliorer la race". On ne se méfiera jamais assez de la perversité métaphorique qui, par exemple ici, fait que cette "pureté" se retrouve au centre d'un discours politique trop souvent répété ces dernières années dans le monde, sous la formule linguistique de "purifications ethniques" en tous genres.

neuvième siècle avec l'*Essai sur l'inégalité des races humaines* de Gobineau qui repose sur la même prémisse: tout croisement interracial conduit à la dégénérescence, dans tous les domaines de l'expérience humaine (pas seulement le biologique, mais le culturel et l'intellectuel). La deuxième irruption dramatique du non-dit scientifique dans l'Histoire récente de l'Occident est celle qui légitimise de 1933 à 1945 la politique nationale-socialiste de stérilisation et d'extermination des métis en Allemagne. Et l'inégalité des races reste en 1996 le fondement de l'agenda politique du "rapatriement des immigrés" nord-africains pour le leader du Front National Jean-Marie Le Pen. Le discours de l'inégalité des races, que ce soit dans les pratiques coloniales de génocide en Amérique du Nord jusqu'au dix-huitième siècle ou dans sa résurgence anachronique et terriblement honteuse dans la France multiculturelle moderne, se traduit aussi dans le champ linguistique. La supériorité de la race "blanche" sur la race "noire" établit la supériorité des discours "blancs", et partant des langues de "Blancs" sur leurs contreparties "noires". La contiguïté des trois domaines dans les cultures – race, langue et discours – permet de commuter facilement le concept d'inégalité du biologique au politique et au linguistique. Historiquement, une valorisation positive du concept de métis se développe au vingtième siècle dans les cultures africaines, caribéennes et latino-américaines, parallèlement au maintien d'un discours biologique, culturel et intellectuel négatif dans les cultures coloniales dominantes. Dans le seul monde francophone, la résistance aux conceptions racistes est représentée principalement dans les années 1930-50 par le mouvement de la Négritude de Léopold Sédar Senghor. Depuis les années 80, un discours positif sur le métissage se manifeste dans des pratiques culturelles telles que les nouvelles littératures nationales nées après la période de décolonisation, ainsi qu'à l'intérieur de l'Europe, dans le contexte des différentes migrations venues de pays en voie de développement, c'est-à-dire qui passent des anciens pays colonisés vers les anciens pays colonisateurs, avec les littératures des immigrations.

Cette première boucle loin du titre de Leïla Sebbar qui

passe par une théorie biologique du métissage me permet de réintégrer le domaine textuel. La survivance de la théorie codifiée au dix-huitième siècle dans l'idéologie contemporaine met à nu la texture fondamentale du trope, le discours biologique qui sous-tend la généalogie de Momo dans *Le Chinois vert d'Afrique*. La signification idéologique est disséminée dans la poétique du texte par un processus de cumul métonymique qui fonctionne comme une chaîne métaphorique ancrée dans plusieurs domaines culturels. La rhétorique produit des images de métissage positives en valorisant le niveau littéral, biologique. Par une série de processus métonymiques, botanique, toponymie et anthroponymie, cuisine et vêtement sont les supports principaux de la représentation poétique du concept chez Leïla Sebbar. Dans le roman, elle rassemble ces fils du sens en une mise en abyme prismatique autour de l'identité de Momo, afin d'utiliser les images pour asseoir sa défense des croisements raciaux et culturels dans le monde de l'immigration. La première couche, déjà présente dans la nominalisation qui constitue le titre, étaie la généalogie du jeune fils d'immigrés sur l'anthroponymie. Les prénoms des membres de la famille sont utilisés comme signes culturels conventionnels, équivalents de leurs origines ethno-raciales. Comme pour le titre, les anthroponymes sont aussi les équivalents de toponymes dans le même discours, et signifient à leur tour au niveau ethnique: du côté paternel, les grands-parents de Momo, Mohamed le Vieux et Minh qui se sont rencontrés en Indochine, représentent ses origines arabe et indo-chinoise, ses parents Slim et Aïda venus d'Algérie représentent ses origines arabo-indo-chinoise et arabo-turque. La lignée du métissage se complique sur trois générations à partir des déplacements géographiques d'anciens colonisés vers d'anciennes colonies françaises. En ce sens, Momo est un métis né de la confluence de plusieurs origines ethniques. Si je considère l'affinité entre les domaines ethnique et racial, je rejoins encore une fois le niveau biologique du discours sur le/du métissage. En suivant mon modèle du dix-huitième siècle, les origines de Momo sont un écho des principales races telles qu'elles ont été stéréotypées à partir des signifiants de couleur: la “race blanche”, la “race noire” et la “race jaune”. Aucune des origines raciales de Momo, cependant, n’est “pure” puisque les composantes turque, indo-chinoise et arabe sont des marges des races “blanche”, “jaune” et “noire” respectivement, si j’accepte la convention pré-moderne d’une équivalence entre race et origine(s) géographique(s). Par commutation, la conclusion métaphorique suggère que Momo appartient à la catégorie indescriptible des identités raciales de la marge, représentées ici par le terme *vert* du titre du roman.

L’articulation suivante du trope réside dans l’observation hors texte qu’au-delà de la quatrième génération du modèle du dix-huitième siècle, le terme *métissage* se confond avec le terme *hybridation*, et que, dans le champ linguistique, un(e) hybride dénote des manipulations principalement en zoologie et en botanique. Or, le tissage du trope dans la poétique du texte de Leïla Sebbar passe lui aussi par le domaine de la botanique pour élargir en le pluralisant par l’hybridation le discours du métissage. Grâce à des variations linguistiques sur le mot *persil*, Sebbar juxtapose dans le texte les déplacements terminologiques générés par d’anciens colons français et d’anciens colonisés. Le discours est organisé et produit par des immigrés d’Afrique du Nord en France, et par Emile Cordier, un Français qui est aussi (tout comme le grand-père de Momo) à l’origine d’une lignée de métissage ethnique. C’est un discours post-colonial à double titre: selon une perspective historique, puisqu’il est produit par une rhétorique entre (anciens) colonisés et (anciens) colonisateurs autour de pratiques linguistiques dans les colonies; selon une perspective critique, puisque le discours est analysé et corrigé après coup dans le champ linguistique par un arbitre, Emile Cordier. Le mot *persil* est caractérisé par des adjectifs qui se réfèrent à la race et par un jeu d’équivalences entre l’arabe et le français. Le terme “pur” du discours est “la coriandre” en français. Un Français qui a vécu en Indochine appelle “le persil chinois” ce qu’Emile Cordier identifie comme “la coriandre”; en Algérie, les Français appelaient “persil arabe” ce que les Nord-Africains appellent “quosbor”, l’équivalent arabe de “la coriandre”, et les Nord-

Africains appellent "maadnous" en arabe ce que les Français appelaient "le persil français". Chaque déplacement fait et défait tour à tour la confusion sur la terminologie adéquate qui correspond à la variété adéquate (qui serait donc un hybride, un métis) de la même plante (d'une "race"). Une chaîne qui suit la ligne botanique répond en échos au discours génétique avec le mot *figues* où l'illusion du métissage est créée par l'imbrication entre "les figues de Barbarie" qu'on appelle "handiia" en arabe, et par "karmous nsara" en arabe qui correspond aux "figues des Français" (*Chinois*, p. 28). Le tissage du thème se continue dans l'extension de la ligne botanique au domaine de la cuisine, avec l'alternance des plats français et arabes que servent dans leur restaurant le couple mixte franco-algérien Simone et Kader (*ibid.*, p. 114). La technique est (re)produite dans d'autres textes de Sebbar (en particulier les deux premiers romans de la veine Shérazade) à travers un prisme de pratiques culturelles arabes et françaises structurées selon différentes combinaisons paradigmatiques. De plus en plus discrète, l'hybridation infiltre la poétique du texte dans d'autres aires artistiques (peinture, cinéma, photographie, musique), d'autres objets (les souvenirs confisqués à Momo par la police), et, bien sûr, dans le domaine du langage (arabe, français, italien, vietnamien). L'hybridation contamine encore profondément la manière de traiter poétiquement la coutume religieuse de la circoncision à travers la discussion des choix linguistiques dans *Le Chinois vert d'Afrique*: les termes comme "couples mixtes", "croisés", "métissés", "coupés" (pour "circoncis"), "déracinés", "déculturés" font circuler des connotations de métissage racial, physique, clinique, dans un discours de pratiques culturelles au quotidien. Là encore, il est facile de faire entrer tous les termes dans nos deux domaines; celui de la biologie humaine (*couples mixtes*, *croisés*, *métissés*, *coupés*) et/ou celui de la botanique (*croisés*, *coupés*, *déracinés*), en gardant "déculturés" comme signifié commun.

• • •

A ce stade de l'évolution du trope, les incursions hors

texte s'imposent si je veux suivre le glissement du métissage *dans* le texte au métissage *du* texte. J'aimerais considérer *Le Chinois vert d'Afrique* comme un moyen terme entre ces deux articulations. Il m'a déjà permis d'établir le métissage dans le texte. Pour évaluer la forme de métissage textuel particulière au roman de l'immigration que je caractérise par le terme de décentrage de l'écriture canonique française, j'aimerais rappeler certaines articulations historiques de cette évolution. Ceci me permettra de finir avec la rencontre des deux axes, métissage dans le texte et métissage du texte, pour suggérer que le travail du texte, le décentrage de l'écriture, est aussi le support d'une évolution idéologique dans le domaine du discours sur la race.

• • •

Le mouvement de la Négritude des années 1930 avec Léon Gontran Damas et Aimé Césaire revendique les valeurs des civilisations africaines selon des stratégies qui supposent certaines formes de discrimination inverse. Mais dans les années 1950, Léopold Sédar Senghor utilise les termes *métis* et *métissage* principalement dans un sens culturel, cherchant ainsi à rapprocher les héritages africains et occidentaux. Depuis lors, la prolifération terminologique semble d'ailleurs confirmer l'évolution du concept. Senghor parle déjà de "greffe culturelle", ce qui rappelle l'équation entre les domaines de la biologie et de la botanique que Sebbar développe en chaîne métaphorique (alors qu'à la même époque, l'écrivain Jean Rostand utilise la métaphore du "bouturage humain" pour maintenir le discours à la jonction des domaines génétique et botanique). A partir des années 1960, une série d'articulations, venant pour la plupart des cultures de la Caraïbe, font circuler le concept dans les domaines littéraire et théorique. Dans les essais de Jean Barnabé, Patrick Chamoiseau et Raphaël Confiant, le terme *créolité* continue celui de *métissage*. Edouard Glissant insère de nouvelles articulations avec *antillanité*, *poétique de la relation*, *créolisation*. Dans l'œuvre de l'écrivain haïtien René Depestre, les termes *brassage* et *métabolisme* retiennent la dimension biologique dont je suis les traces.[9] Ils disséminent le trope dans d'autres domaines culturels tels que les langues, les religions, les usages vestimentaires et culinaires, comme nous en avons trouvé des exemples chez Sebbar. Pour Chamoiseau et Confiant, la créolité se caractérise par "le conflit des langues" et annonce bien le glissement du métissage *dans* le texte au métissage *du* texte. La manifestation la plus récente du métissage du texte est originale en ce qu'elle se développe dans la littérature en France avec les littératures des immigrations et n'est plus le seul apanage des littératures francophones hors de l'Hexagone. La littérature arabo-française, œuvre des jeunes générations de métis culturels et souvent biologiques d'origine maghrébine et, tout récemment, la littérature afro-française produite par l'immigration subsaharienne entrent en situation de métissage textuel avec les pratiques littéraires franco-françaises. A cause de différences particulières dûes à leur présence à l'intérieur de la littérature française, les littératures des immigrations demandent de la part des auteurs des tactiques qui déstructurent le canon littéraire.

---

[9] Car le sens figuré premier du mot *brassage* est celui de mélange des races et des peuples. Quant à *métabolisme*, il appartient lui aussi au domaine de la physiologie et rend compte de transformations chimiques et physico-chimiques de l'organisme vivant. Pour l'anecdote: il n'est pas jusqu'à nos métaboles, figures de rhétorique fondamentales de l'écriture, qui ne signifient d'abord dans le domaine de la biologie. L'écart de sens entre le féminin et le masculin pour le nom *métabole* à partir d'une origine commune dans le mot grec *metabolê* pour "changement" est étonnant lorsqu'on considère que l'insecte métabole (*le* métabole) est celui qui subit des transformations importantes au cours de son développement physique. Tout aussi bien, le terme *syncrétisme*, utilisé aussi par Depestre, ne signifierait dans le domaine biologique que par métaphore. Par contre, en ethnologie, le syncrétisme est une fusion (peu cohérente) d'éléments culturels différents, à la différence de l'éclectisme, en philosophie par exemple, qui recommande d'emprunter ce qui est à la fois meilleur et conciliable dans divers systèmes pour le recombiner en un système nouveau. L'épaisseur du support génétique dans le métissage textuel n'a décidément pas fini de me surprendre.

Je m'appelle Mamadou Traoré pour la gynécologie, Loukoum pour la civilisation.
(*Le Petit Prince de Belleville*, p. 6)

... Alex est de parents inconnus. C'est un petit Blanc de couleur de l'Assistance publique. Monsieur Guillaume l'a adopté et l'a élevé sans difficultés jusqu'à ce que son épouse, une grosse négresse, soit morte de quelque chose. (...) Il ne sait même pas s'il est malien, camerounais ou sénégalais. Il tient beaucoup à ce qu'il voie du noir pour pas perdre son identité. Généralement, le vendredi soir après l'école, Alex vient à la maison et tout le monde est content de voir un petit Blanc nègre. Un genre de zèbre, quoi! Mon papa, il dit toujours qu'à voir sa tête, il jurerait que c'est un enfant de Blanc avec une putain de négresse.
(*Le Petit Prince de Belleville*, pp. 36-37)

Le discours du métissage est présent dès la première phrase prononcée par Loukoum dans *Le Petit prince de Belleville* de Calixthe Beyala: "Je m'appelle Mamadou Traoré pour la gynécologie, Loukoum pour la civilisation". Ce n'est certainement pas par hasard si Beyala fait de "gynécologie" un métonyme inattendu de "généalogie" pour signifier la génétique et la race, continuant en cela la ligne du métissage biologique dont j'ai choisi de suivre les représentations textuelles. D'emblée, le parallèle avec le Mohamed de Sebbar, alias le Chinois vert d'Afrique, semble facile à établir. Deux jeunes garçons d'origine étrangère, Mamadou et Mohamed, font alterner leur prénom (presque) identique avec un surnom, et choisir d'utiliser l'un ou l'autre dépend de situations sociales ponctuelles. Quand Mamadou utilise "Loukoum" "pour la civilisation", Mohamed utilise "le Chinois" "pour les copains". Quand Momo est appelé "Mohamed" par son père, "Mehmet" par sa mère, et "Hammidou" par sa grand-mère, Loukoum est appelé "Mamadou Traoré pour la gynécologie". Selon une représentation schizophrénique de l'identité des sujets postcoloniaux, tous les deux parlent les "zones frontières" de la culture où les composantes de deux cultures au moins ricochent les unes sur les autres dans leur discours. Avec le terme *gynécologie*, Beyala ouvre le discours du métissage à un niveau de manipulation textuelle qui n'est pas présent chez Sebbar, et qui est caractéristique de ce que j'appelle l'écriture décentrée. Bien qu'elle construise les identités post-coloniales de ses personnages grâce à des stratégies qui défont les idéologies convenues du métissage, Sebbar – nous l'avons vu avec les différentes constructions généalogiques de l'identité chez Momo – procède logiquement selon une rhétorique conventionnelle. Elle élabore des chaînes métaphoriques autour d'associations visuelles et intellectuelles entre différents domaines de la connaissance (les lignes biologique et botanique) et certains objets qui les représentent (les noms de personnes, les noms de lieux, les plantes). Elle organise un espace pour la pluralité, l'hybridité, l'hétérogénéité, le multiculturalisme, à partir d'un argument rationnel fondé sur des stratégies rhétoriques qui appartiennent au discours central de la culture française. Les techniques qui rapprochent deux langues sont familières: par exemple, la juxtaposition de mots arabes et français (*maadnous*, *quosbor* et *persil*). La surface solide de la langue française est piquetée de termes étrangers qui créent des images dispersées de métissage culturel. Le canon linguistique se fait poreux au seul niveau lexical et l'osmose linguistique est indirecte. Chez Beyala, à lui seul, le terme *gynécologie* infiltre le texte et le marque d'un écart linguistique qui continue le trope dans sa dimension biologique initiale, mais d'une manière inattendue. Le trope est "décentré" par rapport au canon, à la norme représentée par la langue de France dans sa forme littéraire, en tant que littérature classique. Dans cette situation, le décentrage s'en prend aux stéréotypes. Les attentes du lecteur quant aux idées, à la forme et/ou à la structure subissent une torsion qui les déforme sans les rendre totalement méconnaissables. Les stéréotypes sont déguisés, masqués et démasqués tout à tour et tout à la fois. La norme linguistique est subvertie, manipulée, déstabilisée dans ses bases mêmes: la forme de ses clichés et la structure de ses articulations. La situation d'inclusion/exclusion par rapport à la norme linguistique qui produit le texte littéraire transforme la langue en idiome; à son tour, l'idiome porte une idéologie qui est différentielle. Des pratiques culturelles exogènes rendent la langue poreuse et hybride. C'est un idiolecte qui va bien au-delà de l'insertion de mots exotiques à la Césaire, ou du recentrage idéologique par les poètes de la Négritude autour de "l'âme noire", et dont l'essence est déjà dans le mot "gynécologie".

Je termine avec le roman de Calixthe Beyala parce que je crois que l'auteur démantèle finalement la structure stéréotypique du trope génétique construit sur des différences entre races qui fondent un discours sur des inégalités fondamentales entre cultures. Dans *Le Petit prince de Belleville*, la subversion d'un discours génétique "sérieux" sur l'existence de plusieurs races humaines est édifiée précisément en se servant de la même ligne biologique. C'est son traitement onirique et farfelu qui a un effet de décentrage sur les revendications erronées de différences raciales fondamentales. L'idéologie est décentrée par des manipulations et des déplacements constants de structures de la langue française. Les déplacements ont lieu au niveau d'unités linguistiques. Ils ont pour résultat des manipulations idéologiques. "Nous sommes frères de sang" (p. 36) a une connotation parfaitement claire de filiation biologique jusqu'à ce qu'on me dise que c'est parce que les deux garçons, Loukoum et Alex, ont mêlé leur sang à l'âge de cinq ans. La pratique m'est familière. Certains jeux d'enfants se prêtent à des rites initiatiques qui incluent l'utilisation symbolique du sang. Ici, pourtant, le processus logique de ma lecture intellectuelle butte contre l'organisation structurelle de la phrase. Parce que l'explication vient après la constatation, et non avant, je dois corriger ma première interprétation de l'unité, la réajuster par un processus de décentrage de la lecture. J'ai lu d'abord l'unité "frères de sang" dans son sens littéral, dans son sens 'propre'. Ce n'est qu'après avoir lu la phrase entière que mon interprétation glisse du sens propre au sens figuré pour l'unité "frères de sang". Bien sûr, je retrouve là la valeur que les enfants et le monde militaire donnent à l'unité, celle d'une métaphore de la fraternité. Et bien sûr, lorsque je fais marche arrière dans ma lecture de "frères de sang", ce n'est pas tant que je remplace le sens propre par le figuré mais plutôt que la valeur littérale est contaminée – ou devrais-je dire hybridée – par le figuré. Dans un compromis final, la valeur figurée se trouve faire partie du sens propre, et le sens propre être contaminé par la valeur figurée, ce qui défait toute vélléité scientifique: on peut être "frères de sang" comme on peut être "frères de lait" dans une famille-tribu où mère biologique et mère(s) nourricière(s) s'annulent tour à tour pour mieux se confondre. De manière générale dans le roman, le tourniquet du décentrage entre les mères nourricières, M'am et Soumana, et la mère biologique, Aminata, fonctionne comme ligne parallèle au décentrage génétique et enrichit lui aussi le trope du métissage. Il s'ajoute aux lignes parallèles déjà rencontrées chez Sebbar. On pourrait penser qu'il s'agit là d'une exagération, d'une sur-interprétation du texte mais la prolifération et la concentration des thèmes biologique et racial dans cette courte section citée plus haut nous pousse à pluraliser la lecture, comme c'est le cas lorsqu'il y a métaphores étendues et allégories. Pour l'instant, et pour rester dans les limites d'une interprétation conservatrice, je suggère seulement que la filiation biologique de Loukoum est brouillée.

Je retrouve dans le texte les marqueurs d'un lignage génétique dans le codage chromatique du lexique: "Blanc", "de couleur", "nègre", "noir". Insérés dans des unités linguistiques organisées autour de références à l'humain, les marqueurs de couleur font ressortir le discours conventionnel sur la race et le métissage. Pourrait-on alors structurer selon un modèle à la De Pauw les unités "un petit Blanc de couleur", "une grosse négresse", "un petit Blanc nègre", "un enfant de Blanc", "une putain de négresse"? En effet, considérées dans le tissu général du texte, les unités semblent bien donner lieu à un discours qui signifie comme généalogie d'un métissage et que je pourrais lire ainsi: d'un mâle blanc, "Monsieur Guillaume", et d'une femelle noire, "son épouse, une grosse négresse", naît "un enfant de Blanc avec une putain de négresse" à la première génération, appelé encore "un petit Blanc nègre" ou, en termes de métissage, "un petit Blanc de couleur". Mais il y a ici quelque chose qui cloche dans le mécanisme du métissage. Le concept même de métis semble être déplié, mis à plat, ou encore, pour emprunter une image anatomique, être disséqué, comme si on voulait en analyser méthodiquement la composition en en séparant les composants. Ainsi, semblable au processus métonymique où le discours naît de rapports de contiguïté entre des éléments textuels appartenant à un domaine commun, avec les deux unités "un petit Blanc de couleur" et "un petit Blanc nègre", l'impression d'un discours sur le métissage est créée par la juxtaposition des deux sous-unités, "un nègre" et "de couleur", à l'unité dominante, "un petit Blanc". Chez De Pauw, l'osmose apparente se dissout à la troisième génération du métissage lorsqu'une 'race' dominante est présente à chaque génération. Ici, la cellule dominante est bien la matrice blanche à laquelle sont adjointes deux unités collatérales. Pour prolonger le modèle de De Pauw dont le résultat à la première génération du métissage est "un petit Blanc nègre" et "un petit Blanc de couleur" à la seconde génération, le texte m'impose comme résultat du métissage à la génération suivante l'unité "un genre de zèbre". "Un genre de zèbre, quoi!", le "quoi" annonçant un résultat qui dirige le trope vers la ligne zoologique, parallèle des lignes biologique et humaine que j'ai suivies plus haut, avec le terme équivalent de *quarteron* à la génération suivante, terme qui est plus apte à signaler des manipulations génétiques chez les chevaux que des croisements chez les humains.

Enfin, pour appuyer le décentrage dans le champ esthétique, je ne résiste pas au plaisir de forcer un peu ma lecture de la métaphore du zèbre. "Un zèbre" ne semble-t-il pas nier l'osmose présente dans le métissage? Car la métaphore continue la mise à plat du discours puisque, comme nous l'imaginons facilement, la robe du zèbre est une alternance de bandes parallèles noires (ou brunes) et de bandes blanches. Mais l'alternance peut être conceptualisée différemment. Il suffit pour cela de lire le codage chromatique comme une robe blanche rayée de noir ou, inversement comme une robe noire rayée de blanc pour en modifier les données. La signification de l'alternance peut alors varier (la structure du discours se modifie) tout en restant la même (on sait ce que valent les discours inversés); lecture où l'alternance rejoint le modèle de De Pauw et un discours idéologique en supposant la dominance d'une couleur ou de l'autre sur quatre générations, sur laquelle il y aurait empreinte et superposition d'une couleur seconde et effaçable. L'alternance entre une couleur (une race) et une autre est fondamentalement un système de dominance (le terme *dominance* me plaît car, dans le domaine biologique, il a un écho chez les gènes allélomorphes qui, par réciprocité, se substituent alternativement les uns aux autres dans l'hérédité). Le trope du métissage tel qu'il n'est pas décentré est celui qui reste pris dans les structures des notions de races (ou, par dédoublement métonymique, d'espèces de la race), dans le tissu d'une pigmentocratie réductionniste où les couleurs (ne) sont (que) primaires: blanc ou noir, noir ou blanc. Ce qui décentre le discours de l'opposition des races, ce n'est donc pas ce qu'on pourrait lire comme "ceci" ou "cela" selon un paradigme binaire bien structuré, bien équilibré, mais aux composants mutuellement exclusifs; ce n'est pas non plus la face cachée du même paradigme où le "ni-ceci"-"ni-cela" alternerait avec le "ceci"-et-"cela"; ce n'est ni le Janus bifrons ni le miroir clonique. Ce qui décentre le discours, c'est la présence mi-simultanée et mi-alternative à la fois de l'un et de l'autre, qui diffracte systémiquement la sédimentation d'un discours. Le sens passe par les voies qui sont supposées l'obstruer. "Petit Blanc de couleur", Loukoum est à la fois "Blanc" et métissé à cause de sa "couleur". "Petit Blanc nègre", il est à la fois et "Blanc" et "Noir" (tout en étant métissé). "Un genre de zèbre" décentre encore le paradigme en ajoutant à la simultanéité le brouillage du sens par l'alternance. La robe de ce zèbre de Loukoum déploie la palette chromosomique: simultanément et en alternance, noir sur blanc et blanc sur noir se décentre par la contiguïté en alternance: blanc-noir-blanc-noir-blanc-noir... Car c'est cela, les chromosomes: des corps qui absorbent et produisent la couleur, trace qui m'a permis de suivre le développement du trope du métissage dans deux romans de l'immigration post-coloniale dans une France où le racisme est encore alimenté par des réactions épidermiques. Problème d'éthique que le discours généré par la couleur de la peau? Selon certains généticiens, la globalisation culturelle, l'homogénéisation des valeurs et de la pensée dans le monde moderne est cause d'un désir de retour à la filiation génétique. La question d'éthique se poserait alors au sujet de la culture, non plus de la biologie, ce qui rendrait acceptable le clonage, antidote du métissage.

Finir sur le clonage humain est une autre manière de décentrer le métissage textuel. Après tout, le clonage n'est-il pas l'antonyme du métissage? L'un reproduit, l'autre produit. L'un, copie par duplication, connote la similarité pendant que l'autre, création originale, en appelle à la différence. En période de repliement sur soi, les cultures boudent le métissage, parfois jusqu'à l'extrême. Dans le monde historique et à la suite de Gobineau, la dégénérescence inhérente au mélange des races légitime la politique de stérilisation et d'extermination des métis pratiquée par le régime national-socialiste en Allemagne entre 1933 et 1945.[10] Avant les expériences récentes des généticiens sur les animaux d'élevage, le clonage s'est cantonné longtemps au domaine de la science-fiction. L'apparition du double dans *Frankenstein*, des androïdes et des robots chez Isaac Asimov, des homoncules et des golems dans le cinéma expressionniste des années vingt pourrait délimiter la zone frontière de l'au-delà du métissage, celle de l'étrangeté, rejoignant ainsi le discours suggéré par le terme *vert* du *Chinois vert d'Afrique*.

---

[10] Dans un article intitulé "'Métissage'. Contours et enjeux d'un concept carrefour", Hans-Jürgen Lüsebrink continue: "Les quelques huit cents descendants des unions entre Allemandes et soldats français noirs (d'origine africaine, antillaise et malgache) stationnés en Allemagne après la Première Guerre mondiale furent ainsi non seulement qualifiés de 'Rheinlandbastarde' ('bâtards de la Rhénanie') et considérés comme des êtres humains inférieurs indignes de se perpétuer, mais furent aussi forcés par les autorités nazies de se faire stériliser à partir de 1933." (in "Métissages. Les littératures de la Caraïbe et du Brésil", *Etudes littéraires*, vol. 25-3, Hiver 1992-93, pp. 93-104). Outre ce point précis, l'article m'a aussi fourni en partie la trame des développements terminologiques autour du concept de métissage.

L'en-deçà du métissage trouverait alors ses limites dans la fiction clonique, celle qui commence en 1925 avec le roman de Maurice Renard et Albert-Jean, *Le Singe*, donne en 1976 la série des sosies élaborés à partir de la carte génétique d'Hitler dans *Ces Garçons qui venaient du Brésil* d'Ira Levin et comprend beaucoup d'autres variantes de la figure de la gemellité. Sans oublier bien sûr les domaines esthétiques où le signe visuel a le rôle majeur. Mais de *Felix the Cat* à *Body Snatchers*, *Jurassic Park* et la série des *Alien*, clonage et métissage se décentrent tour à tour.

CAN RABBITS HAVE INTERRACIAL SEX?

Werner Sollors

For those of you who are pressed for time, but dying to find out what topic the title of my paper promises to address, here is the synopsis, so to speak. Can rabbits have interracial sex ? One answer to this question is, "apparently, yes." Another answer is that perhaps they shouldn't – or if they do it anyway, that at least nobody should be told about it. But all of this may become clearer by the end of the article, which, if it had a subtitle, would also promise something like "Garth Williams' *The Rabbits' Wedding* and Theming Métissage." It is a paper connected with the theme of founding a family, and with that of certain families as anathema; and the time is (mostly) from the 1950s to the present.

I would like to start with a family as anathema of 1989. It is the "family of man" (as it used to be called), or more precisely the family of *fraternité* – now known as siblinghood – and this is the stamp issued by the U.S. post office to commemorate the 200th anniversary of one of the three principles of the French Revolution. **(ILLUSTRATION # 1)**

There is at first glance nothing much exciting about this stamp which portrays (on the right panel) a matrifocal family with two silvery children. How could such an innocent stamp start a controversy? And yet it did. For example, it was said that the woman's nipple seemed removed from the stamp. Where was the image from anyway? Was the nipple there in the original?[1]

---

[1] cf illustration 18 "Allegory of Nature" (1774) & 159 Charles Cordier's "Aimez-vous les uns les autres" or "Fraternité" (1867), reproduced in *The Image of the Black in Western Art*, vol.IV,1. (dist. Cambridge: Harvard University Press, 1989). For the U. S. stamp, see Barth Healey, "Stamp for Bastille Day Reverses the Tricolor," *New York Times* (June 5, 1989), p A4.

Illustration 1 - U.S. stamp commemorating the French revolution (1989)

Illustration 2 - French *fraternité* stamp (1989)

Well, some of the images close to the one by which the stamp was inspired are allegorical representations, and I'll let you be the judge of the question. The *fraternité* pair's filial lactation and maternal republicanism are obviously connected in this image. Could the action of the U.S. Postmaster General be unmasked as a sign for prudishness? But, wait, isn't there another noticeable difference between the two images of brotherhood? Why, yes – the children are more, how shall I put it, different-looking in the French image than in the U.S. adaptation. The European versions of *fraternité* clearly show one black and one white child; in the great American melting pot they have become metallic-looking twins or clones. Why had the Postmaster General preferred to represent the two children embracing each other as the allegory of "fraternity" in an identical silvery color rather than follow the original? Voices were raised that there was a race problem in the air. But Ms. Kim Parks of the Postal Service stamp support branch stated reassuringly that the figures were "redrawn in bas-relief to resemble statues, and in silver to stand out against the colored panels." She emphasized this purely aesthetic motivation also by explicitly stating that silver is "not white" and that the change had been undertaken "without any thought of race." Was there perhaps a problem with indicating color difference on so small a format? Still, **(ILLUSTRATION # 2)** the French post office managed to show one black and one white child on a similar-sized stamp, obviously taken from a similar, perhaps the same, source. Question: Could there be a problem in imagining different colors in the same brotherhood-family?

By now you must have guessed that the approach that I have chosen today is – just like I take that of the conference to be – "thematic."[2] Thereby I assume that

---

[2] For a more detailed survey of the field, see the collection *The Return of*

aesthetic works (including stamps and, as we shall soon see, postcards) are also "about" something – and I am focusing less on form (e.g. the inversion of the French tricolor on the stamp) than on *theme*. But how do we know that a work of art is about X and not about Y? Not all works are allegories of the *fraternité* type. So how do we know that a certain work is about, say, family – and not about itself, a tension between metaphor and metonymy, about undecidability, or about any of a thousand other topics than the one we have chosen to be our "theme"? What do we do when we look for "themes" in literature – a process that has been called "theming" by Gerald Prince? Are themes simply self-evident and objectively manifest in texts?

Claude Bremond reminded readers that "there is no 'in-and-of-itself' in the theme,"[3] and even a single uncomplicated sentence can be *absolutely* or *relatively* "about" something, as Menachem Brinker illustrated:

> The sentence "the book is on the table" is absolutely about the book, the table, and the fact that the book is on the table. Yet relative to the information received this morning, according to which "if Peter buys the book he will leave it on the table," the first sentence ... is also about Peter and about the fact that he bought the book and left it on the table. By implication it may also be about the fact that Peter keeps his promises, that the book has arrived in Israel, and so on and so forth.[4]

If this is true for a simple statement of fact, how much more complicated must it be to say what the theme of a literary work may be? A variety of mixed-up, often unconscious interests may guide the process of theming – for example, aesthetic, logical, statistical, political, moral, genealogical, psychoanalytical, structuralist, nationalistic or autobiogra-

---

Thematic Criticism, ed. Werner Sollors (Cambridge: Harvard University Press, 1993). I shall make repeated reference to various parts of it without, each time, giving a more detailed citation.

[3] Bremond, *Return*, p. 58.

[4] Brinker, *Return*, p. 31.

phical motives.[5] Thomas Pavel made a distinction between a text that explicitly makes readers *care* about a theme (lesbianism in Balzac's "Girl with Golden Eyes") and a text that requires a critic's special (even forced) effort to perceive a theme ("lesbianism" in *Twelfth Night*). How do we arrive at such distinctions? For Pavel the Berkeleyan maxim of undeclared thematics is: "For a theme to be perceived is to be." And David Perkins who has so marvellously and convincingly challenged the genre of literary history would seem to agree: "... with themes we are free. Individual creativity is much more active in writing literary history than most people suppose, and it riots in thematic literary history."[6] Could we possibly expect any form of general agreement as to what is explicit, what implicit, in texts? Perhaps the contexts, and, especially, the debates about legitimate and unpredictable contexts, ultimately confer plausibility to what will be considered the themes of a given work; and the contexts surrounding certain themes may be particularly strong in this respect.

The church fathers Bœthius, Meletius, Athanasius, and Augustine who used the word "species" in its original sense of "external aspect, appearance," and who viewed a horse's color as an *accidental* quality that does nothing to the horse's essential horseness would have been surprised by the modern period.[7] Nowadays "black" and "white" can serve as such forceful agents that they have the power to be

---

[5] Bremond, *Return*, p. 54.

[6] Perkins, *Return*, p. 120.

[7] Bœthius, Meletius, Athanasius, and Augustine argue, according to the classicist Lloyd A. Thompson, that "although a black horse and an *Aethiops* both share the same 'accidental' quality of blackness, the removal of this blackness leaves the horse still a horse, but entirely eliminates the quality of the *Aethiops* from the *Aethiops*, who thereby becomes 'a white man like other men.'" See Lloyd A. Thompson, *Romans and Blacks* (Norman, Oklahoma, and London: University of Oklahoma Press, 1989), pp. 77-78. See by contrast, José Antonio Villareal, *Pocho* (Garden City, New York: Doubleday, 1959), p. 123, with the account of a racialized socialization that suggests "a white horse is the best horse there is."

more "essential" than what they refer to; and *color* alone could be more important than the subject that was ostensibly represented. Just as black and white could be themed *away* in the case of the US *fraternité* stamp, so an interracial theme could also be inserted *into* works that were hardly "absolutely about" this topic. **(ILLUSTRATION # 3)** For example, a postcard, probably from the early part of the century, portrayed two cats, a black one in a man's bathing suit, and a white one in a dress, dancing in the shallow ocean waters on the edge of a beach, and other cats are visible in and near beach tents in the background. The card was titillatingly entitled, "Mixed Bathing." The cats' colors and costumes – or, put differently, the way in which they were coded by race and gender – are the only aspects that could conceivably make the subject risqué, while the postcard manufacturers' caption may also represent an attempt to turn potential tension into humor.[8] In this instance, we do not know why the manufacturer chose the title he did over such other possibilities as "Cats By the Seaside," "Wet Quadrille," "Le Cha(t) Cha(t)," "Hip Cats," "The New Beach Apparel," "Family Vacation" (which would make it suitable for this occasion) or "Summer" – not to mention such possibilities as "Composition 18" or (my Macintosh favorite) "Untitled." In each case, however, it would be the title, a *text,* that would give the central theme to the image: the image would seem to be "about" different things, dependent on the heading it received. In any event, the postcard was not enmeshed in a theming controversy such as the one that emerged in the Alabama Public Library system and that will shortly take us to the subject promised by my title.

In the process of ending racial segregation in the United States, animal fables that were applied to the human situation seem to have flourished, as is evidenced, for example, by Zora Neale Hurston's little-studied conservative essays of the period in which she denounced the fight for legal desegregation **(ILLUSTRATION # 4)** with her rejection

---

[8] The card was reproduced in *Katzen lassen grüßen: Ein Postkarten-Bilderbuch . . . aus der Sammlung Stefan Moses* (Hamburg: Rasch und Röhrig, 1989) [sans page].

Illustration 3 - "Mixed Bathing", postcard

Illustration 4 - *Orlando Sentinel*, cartoon (1955)

of the supposedly integrationist fable of mules running after a white mare, as a communist plot for interracial marriage.[9] Hurston's "Court Order Can't Make Races Mix" was an open letter, published on August 11, 1955 in the *Orlando Sentinel*, an anti-integrationist daily with a circulation of approximately 100,000 at the time, published in the Florida city that was destined to become the home of Disney World.[10] It is written flippantly in a way Hurston herself calls "thinking out loud", and the center of it is taken by an amplification of what Hurston, the author of *Mules and Men* (1935), calls "the doctrine of the white mare." She explains:

> Those familiar with the habits of mules are aware that any mule, if not restrained, will automatically follow a white mare. Dishonest mule-traders made money out of this knowledge in the old days. Lead a white mare along a country road and slyly open the gate and the mules in the lot would run out and follow this mare. This [Supreme Court] ruling [of Brown v. Board of Education] being conceived and brought forth in a sly political medium with eyes on [the election of] '56, and brought forth in the same spirit and for the same purpose. It is clear that they have taken the old notion to heart and acted upon it. It is a cunning opening of the barnyard gate with the white mare ambling past. We are expected to hasten pell-mell after her.

---

[9] Hurston's essay in *The American Legion Magazine* (June 1951): pp. 14-15; 55-60, is a startling contribution which features photographs of communists like Paul Robeson, W. E. B. Du Bois, Langston Hughes, and Howard Fast that resemble most-wanted posters. See also my essay "Of Mules and Mares in a Land of Difference; or, Quadrupeds All?," *American Quarterly* 42.2 (June 1990): pp. 167-190. In the discussion at the New York University panel on 5 April 199, the odd choice of a mule as the stand-in for a black male in the white mare fable was emphasized by participants.

[10] Quoted from a microfilm copy provided by R.B. Murray in the Orange County Library System.

The story was illustrated, apparently by the *Orlando Sentinel*, with a little cartoon depicting a white mare with a question mark over her head and a sign reading "desegregation" while across the fence a black mule is thinking, "I just want my own pasture improved." Hurston goes back to the story later in the essay and confesses that, personally, she is "not persuaded and elevated by the white mare technique." The worst periods in the quick history she drafts are "the days of the never-to-be-sufficiently-deplored Reconstruction" (when the belief that Negroes want nothing more than to associate with whites was also current) and the New Deal (when only the "stubborn South and the Midwest kept this nation from being dragged farther to the left than it was"). She seems to consider seriously that the desegregation decision was only a trial balloon and precedent designed to keep Southerners busy while more serious attacks on the political system could be launched: "what if it is contemplated to do away with the two-party system and arrive at Govt. by decree?" What she senses behind such deceptive maneuvering is Communism. Hurston, in 1955, specifically warns the readers of attempting integration at a time

> when the nation is exerting itself to shake the evils of Communist penetration. It is to be recalled that Moscow, being made aware of this folk belief, made it the main plank in their campaign to win the American Negro from the 1920s on. It was the come-on stuff. Join the party and get yourself a white wife or husband.

This allusion to a Communist conspiracy to foment interracial marriages probably found some resonance in the McCarthyist period to which Hurston here explicitly alludes. Hurston goes back to the story later in the essay and confesses that, personally, she is "not persuaded and elevated by the white mare technique." And she concludes the essay with the statement: "That old white mare business can go racking on down the road for all I care."

Hurston had used the white mare fable also in "Why

the Negro Won't Buy Communism" (1951) and told readers of the *American Legion Magazine* that Communists, in order to "mount their world rule on Black American backs," had taken for a blueprint "an ancient and long-discarded folk piece, the analogy of the 'white mare.' It got to be said during the Reconstruction that the highest ambition of every Negro man was to have a white woman." She concluded the parable with the interpretation that analogies are dangerous, since it is "possible, and even probable that we might not be mules" though "the reds evidently thought so." Hurston also found in what she bluntly terms the party's "'pig-meat' crusade" – when Harlem "swarmed with party-sent white women – an explanation for the frequency of mixed couples in party councils and suspected that it was by "such whoopdedoo" that the Lincoln Brigade was "recruited to go to Spain in a vain attempt to place the Russian Bear at Gibraltar" (57). Hurston's essays of the 1950s suggest the strength of the opposition to interracial plotlines – even among modern, widely celebrated and taught writers.

A more popular animal fable was Walt Disney's animated film (no, I do not believe that the conference's command "Looking for Ariel" refers to the heroine of *The Little Mermaid*) *The Fox and the Hound*, and though it was released only in 1981 it still evokes the ambiance of a quarter of a century earlier. It is also a work that resonates for Faulkner readers with a description from *Flags in the Dust* that has a strong undertone of human allegory:

> No two of them looked alike, and none of them looked like any other living creature – neither fox nor hound, partaking of both, yet neither; and despite their soft infancy there was about them something monstrous and contradictory and obscene, here a fox's keen, cruel muzzle between the melting, sad eyes of a hound and its mild ears, there limp ears tried valiantly to stand erect and failed ignobly in flopping points; and limp, brief tails brushed over with a faint golden fuzz like the inside of chestnut burrs. As regards color, they ranged from reddish brown through an indiscriminate brindle to pure ticked

beneath a faint dun cast, and one of them had, feature for feature, old General's face in comical miniature, even to his expression of sad and dignified disillusion.[11]

For the critic Gene Bluestein this was a thinly veiled comment on an interracial family. By contrast, Disney made the fable of integration center on the friendship of two males (perhaps the studio was familiar with Leslie Fiedler's well-known thesis in *Love and Death in the American Novel*): the little fox Tod significantly receives cow milk from the farmer's wife that adopts him before he fraternizes with the little hound Copper. The effect of this choice is that the "natural boundaries," of which Pearl Bailey (as Owl) sings, remain intact; in other words, the "species" – now in the modern sense of *essentially* different kind – remain separate even though their representatives may befriend each other at a tender age.

When you're the best of friends,
Having so much fun together.
You're not even aware
You're such a funny pair
You're the best of friends
Life's a happy game
You could clown around forever
Neither one of you sees
Your natural boundaries.
Life's one happy game.
If only the world wouldn't get in the way
If only *people*[12] would just let you play
They say that you'll both be fools
You're breaking all the rules
They can't understand
the magic of your wanderings [?].

[11] First published under the title *Sartoris*, 327. Cited in Gene Bluestein, "Faulkner and Miscegenation," *Arizona Quarterly* 43, 2, Summer 1987, p. 154.

[12] Such "people" are embodied in the cartoon as the cracker farmer who looks like Huck Finn's Pa.

When you're the best of friends....
Oh, I hope, I hope it never ends,
For you're the best of friends.

The video cassette box identifies as the themes of *The Fox and the Hound* "such timeless values as love, courage, and respect for life." The utopia of fox and hound is that they do manage to overcome their instinctual animosity and don't hunt and kill each other – hound even rescues fox at the dramatic climax – but they both end up happily, each in his own separate intraspecies alliance or set. They can "clown around" but they must also recognize that they would make "a funny pair." Growing up means recognizing that life is not just a game, that there are "natural boundaries." They are the best of "friends forever," but they are not the same "family." If Faulkner's fox and hound could be themed as "melting pot," then Disney's version might be read as "pluralism without métissage."

Characteristic of the mood of the period of desegregation was the small crisis generated by a children's book published in 1958. It was written and illustrated by Garth Williams (who may be best known for his visual work in E. B. White's novel *Charlotte's Web*), and the book was entitled *The Rabbits' Wedding.* **(ILLUSTRATION # 5)** It is the story of two little rabbits who live in a forest, and happily play with each other, hopping, skipping, and jumping around. Their happiness is only interrupted by one of the rabbits' recurring moods of pensiveness, brought on by his wish that he could always be with the other one. The other rabbit says that if he really wishes that, she will be his forever; then they pick flowers together and put them in each other's ears. They get married in a wedding circle of all the other rabbits, and the animals of the forest come to watch the wedding dance. The married rabbits live happily ever after. The book was pitched for an audience of three- to seven-year-olds (though the author later lowered the targeted age group to two to five years), and the well-balanced *New York Times* reviewer felt that children would hug the book tightly "if only for the bold pictures of frisky, fluffy bunnies

Illustration 5 - Garth Williams, *The Rabbits' Wedding*: cover illustration (1958)

Illustration 6 - Garth Williams, *The Rabbits' Wedding*: illustration (1958)

romping in the forest. The tale of this bashful suitor and his lady fair, however, is too low-keyed for many readings." And the *Christian Science Monitor* praised the "misty, dreamy brush" that has "painted the two little rabbits... with all the soft, defenseless charm of babyhood" and applauded the "brief text, kept simple and happy" and the "heart-stealing water-color illustrations" that "are spread generously over giant pages."[13]

The Rabbits' Wedding seems thematically unrelated to the topic of race. Yet the brief reference to "lady fair" contains the important clue: as in the case of Hurston's mules and mares and that of the cat postcard, it was the *color* of the animals that suggested the *human* difference: As you have already discovered on the cover of the book, one rabbit (the male one, too) was black, the female one white.

In the world of the 1950s U.S. South, divided by the issue of racial integration, this was sufficient evidence to invite readings of the book as a contribution to interracial literature, readings that turned the book virtually into a manual for founding a family where there should be no family ties, where there were "natural boundaries." The presence of the categories black/male and white/female helped to override the species difference between the book's subjects and its readers. *The Rabbits' Wedding* could thus be themed as *really* about an interracial marriage, whereas such an alliance was, at the time of the book's publication still illegal in more than half of the United States, and in any case in all Southern states. In fact, many of these states had provisions in their constitutions prohibiting what was called (since 1863) "miscegenation." The book also appeared three years after the Virginia Supreme Court, in *Naim v. Naim*, had sustained the miscegenation statute and ruled that the state's legislative purpose was "to preserve the racial integrity of its citizens" and to prevent "the corruption of blood," "the

---

[13] George A. Woods, "Pictures for Fun, Fact and Fancy," *New York Times Book Review* , June 8, 1958, p. 42; also cited in "The Rabbit Wedding," *New York Times*, 24 May 1959, IV, p. 2. Rod Nordell, "Pictures to Read," *Christian Science Monitor*, May 8, 1958, p. 15.

obliteration of racial pride," and the creation of "a mongrel breed of citizens."[14] *The Rabbits' Wedding* became controversial 29 years after the state of Mississippi had enacted a criminal statute that made punishable the "publishing, printing, or circulating [of] any literature in favor of or urging interracial marriage or social equality."[15] And it also was published 29 years before the state of Mississippi found enough votes in the State House to overrule the Constitutional provision.[16] Contexts, contexts...

Once it was themed "interracially," pictures and text of a children's book could appear different from what they seemed, not harmless and joyful but positively dangerous; the representation of the hopping, romping characters could now be deemed taboo, and the images of their physical closeness suggestive of the corruption of (more than rabbit) blood and hence inappropriate for children. An Alabama Citizens' Council (despite its post-revolutionary name promising a fraternity of *citoyens*, it was an association limited to white male members) used its organ, the weekly *Montgomery Home News*, for a sharp, front-page critique of the book for promoting integration, spelling out its fears and its method of theming in the headline: "What's Good Enough for Rabbits Should Do for Mere Humans."[17] The book was thus thought not just to *represent* métissage but to "*recommend*" it to human readers. It could not be taken as a "family values" role model that taught the young ones to associate continuous physical pleasure with the "clean" institution of a collectively sanctioned heterosexual marriage; it also could

14 197 Va. 80, 87 S.E. 2d 749.

15 Charles S. Mangum, Jr., *The Legal Status of the Negro*, p. 237, referring to *Mississippi Code* Ann. par. 1103 [1930]).

16 On 4 December 1987, the Mississippi Secretary of State proclaimed that section 263 of the 1890 Constitution, prohibiting interracial marriage, is deleted, based upon House Concurrent Resolution # 13 and ratification by the electorate on 3 November 1987. (*Mississippi Code* 1990, p. 198)

17 Cited in "'Rabbits Wedding' Banned: Black Bunny Marries White," *Atlanta Constitution*, 22 May 1959, p. 12.

not reassure segregationists that the rabbits were – unlike Faulkner's and Disney's fox and hound – clearly of the same *species*. The rabbits' color difference overruled all other considerations. **(ILLUSTRATION # 6)** The columnist Henry Balch followed the Alabama Citizens' Council and, in an exhortative piece entitled "Hush Puppies," condemned *The Rabbits' Wedding* in the *Orlando Sentinel* – the same paper that had carried Hurston's white-mare attack on integration four years earlier – as "propaganda" for mixing races and as the "most amazing evidence of brainwashing":

> As soon as you pick up the book and open its pages you realize these rabbits are integrated. One of the techniques of brainwashing is conditioning minds to accept what the brainwashers want accepted. Where better to start than with youngsters in the formative years in the South?[18]

Balch presented a generous, full quotation of the text of the book as self-evident support of his contention. His phrasing suggests the danger that the very term "integrated" must have contained. The fear of brainwashing (a word that had become popular during the Korean War and that appeared, for example, in Lorraine Hansberry's play *A Raisin in the Sun*) made the children's book look as if it were part of a plot of weakening the defensive potential of the next generation. In "Rabbit Story Called Brazen," a reader's forum in the *Orlando Sentinel*, three critical respondents to Balch's column picked up the term "brainwashing." The opening letter by E. R. Ensey was strongly supportive of Balch and expressed the opinion that without editorials recommending segregation "the road will be wide open to mongrelization and none of us can fight back." And to some of the critical letters the editor added comments such as, "Thanks for your opinion and for Mr. Balch's."

The peril was momentous, as Balch saw the book in

[18] "Hush Puppies," *Orlando Sentinel*, 18 May 1959, p. 8-B, partly cited in "The Rabbit Wedding," *New York Times* , 24 May 1959, IV, p. 2 and in "Of Rabbits & Races," *Time*, 1 June 1959, p. 19.

the childrens' section of one of the Florida Public Libraries in Orlando where the dangerous work had been checked out so many times that a waitlist had been opened for those other young clients who were still interested in reading the book.[19] The segregationist Alabama State Senator E. O. Eddins of Marengo County continued Balch's attack on the book with a focus on public libraries and declared aggressively that "this book and many others should be taken off the shelves and burned," specifying that he meant books "of the same nature" (presumably integrationist) and those that "are communistic."[20] The Cold War lineup of all things that could be called "dirty," integrationism, communism, and sex – a trend that was also noticeable in Hurston – suggests a perhaps sexually motivated fear of the ideology portrayed as "Brotherhood" by Ralph Ellison's *Invisible Man* a few years earlier.

The Rabbits' Wedding was thus publicly themed as a dangerous text promoting racial integration, and the fact that it did not represent humans at all could make it seem all the more subversive for spreading its illegal message surreptitiously – and to minors, too, who moreover would have access to it through taxpayer-financed public libraries. As we have already seen, it is very difficult to say with any degree of certainty that a given text is not, at least *relatively*, about a particular theme, and the Southern context simply suggested that this was one way in which the book would be read by many others, now that it had been read at as an interracial marriage tale – anathema!! – by anti-integrationists. As *Time* magazine put it: "Indeed, by the very fact of having bought copies of *The Rabbits' Wedding*, ... the Alabama library service had become 'controversial.'"[21] Looked at in legal terms, this theming

19 "Rabbit Story Called Brazen," *Orlando Sentinel*, 25 May 1959, p. A-9, published a few days *after* the story had made the *New York Times*; two of the three redirected the charge against the columnist.

20 Cited in "'The Rabbits' Wedding' Should Be Burned," *Birmingham Post-Herald*, 23 May 1959, p. 1.

21 "Of Rabbits & Races," *Time*, 1 June 1959, p. 19.

made it possible to regard the book as an incitement to minors to break *the* law, not just *a* law. This situation put political pressure on the Alabama library system, and Emily Wheelock Reed, the director of the State Public Library Service (which provided books for local libraries), was personally questioned by the Demopolis Senator Eddins, to whom she also had to make budget requests in the legislature. She now risked losing fiscal appropriations for her Library system. Pointing out that the book had not been banned by any court of law and that it had been "purchased on the basis of favorable reviews," she came up with the Solomonic decision of neither leaving *The Rabbits' Wedding* in the agency's normal open shelves nor taking it completely out of circulation, but putting it on a special, closed shelf "for works on integration or those considered scatological."[22] I imagine this shelf relatively high up in the library's bookcases, out of reach of children, for sure. The effect was that local librarians were permitted to take *The Rabbits' Wedding* to their branches only upon special request. (Libraries that already had their own copies of the book were not affected and could keep them on the shelves, high or low). In the line of fire for the possible accusation of making available dangerous literature, Reed had chosen the diplomatic course of not prohibiting "circulating the book to anyone, but then again... not peddling it." She acknowledged that she had been under indirect pressure and that her action was taken "in view of the troubled times in which we live." She accompanied her directive with a tart statement: "We were surprised that such a motive (integration) could be read into what appears to be a simple animal story using black and white illustrations to differentiate characters."[23] Yet her

---

22 *Ibid.*

23 "'Rabbits Wedding' Banned: Black Bunny Marries White," *Atlanta Constitution*, 22 May 1959, p. 12. In "White Rabbit Married Black One – Book Banned From Open Shelves," *Birmingham Post-Herald*, 22 May 1959, p. 26, Reed is quoted as saying, "we have not lost our integrity" and defending her decision to "stop peddling the book" by referring to the charge of the Montgomery *Home News* that Williams's

disclaimer notwithstanding, Reed's action had the effect of further sanctioning the interracial theming of *The Rabbits' Wedding*. This was so much the case that Alabama legislators who privately opposed the restriction, or even ridiculed it, "declined to be quoted by name because they said their position might be misconstrued as pro-integration" if they criticized in the press Reed's measure or Eddins's theming of the book.[24] The thematic interpretation of the Citizens' Council had surely prevailed if public opposition to the restricted access to a children's book about rabbits – surely a curtailment of the citizens' liberty – could become associated with the offense of promoting racial integration.

All of this brought national attention to the case and generated a broad, often overtly humorous, coverage of the relatively minor near-suppression. The *New York Times* reported the scandal under the title "Children's Book Stirs Alabama: White Rabbit Weds Black Rabbit," and *Time* opened its article "Of Rabbits & Races" – that was placed under the general heading "THE SOUTH" – with excerpts from the book and the statement: "It seems incredible that any sober adult could scent in this fuzzy cottontale for children the overtones of Karl Marx or even of Martin Luther King." *Time* also ironically captioned the reproduction of a part of the cover illustration of the book, with an allusion to Balch, "Anyone can see they're integrated."[25] And some readers similarly went for the humor in the situation. Picking up on the communist theme, one reader of the *Orlando Sentinel* suggested ironically that *The Rabbit's Wedding* could be made safe for children with the help of crayons: "color each white rabbit yellow and each black rabbit green – thus leaving no tinge of red." Another reader wrote sarcastically that Balch should also worry about

---

book was "promoting integration."

[24] *Birmingham Post-Herald*, 23 May 1959, p. 1. See also "'Rabbit' Book Burning Urged," *Orlando Sentinel*, 23 May 1959, p. 3-A.

[25] *New York Times*, 22 May 1959, p. 29; *Time*, 1 June 1959, p. 19. See also Morton Zabel in Doris Y. Wilkinson, *Black Male/White Female: Perspectives on Interracial Marriage and Courtship* (Cambridge, Mass.: Schenkman, 1975), p. 123.

such children's classics as *Black Beauty*, in which "many fair skinned horses . . . want to nuzzle up to that black horse," or *Heidi*, in which, this reader claimed, there "is a brown goat that gets a yen for a white goat," and that Balch should therefore form a "committee of one to ferret out all this diabolical trash and to see that from now on the only literature allowed in our public library is about 100pct. white animals who wouldn't spit on the best part of a darker one." Finally, a letter-writer invoked a children's book about a marmalade-colored cat "named of all things, Orlando," that celebrates his wedding *anniversary* with his white wife.[26] The book's author Garth Williams also commented on what *Time* called "the nonsense of it all" and like Reed, he invoked and defended color differentiation as an aesthetic principle, free of human, racial, or political referentiality:

> *The Rabbits' Wedding* has no political significance. I was completely unaware that animals with white fur, such as white polar bears and white dogs and white rabbits, were considered blood relations of white human beings. I was only aware that a white horse next to a black horse looks very picturesque – and my rabbits were inspired by early Chinese paintings of black and white horses in misty landscapes.
>
> It was written for children from two to five [the newly lowered age] who will understand it perfectly. It was not written for adults, who will not understand it because it is only about a soft furry love and has no hidden message of hate.[27]

Without directly invoking the early Christian thinkers and Church fathers, Garth Williams echoed their argument that

---

[26] Rita Levy, "All About Rabbits" (Letter), *Orlando Sentinel*, 25 May 1959, p. 9-A.

[27] The press release has been reconstructed here from the excerpts published in the *New York Times*, 22 May 1959, p. 29, *Time*, 1 June 1959, p. 19, and the *Orlando Sentinel*, 23 May 1959, p. 3-A. Garth Williams, his publisher, and the Alabama Library system did not respond to inquiries.

color was an "accidental" and not an "essential" quality.

This episode in the cultural history of racial segregation reads like a version of "The Emperor's New Clothes," in which our "normal," common-sense perception of rabbit reality is restored through the voice of an honest child that is still free of adult scheming. In a letter to the *Orlando Sentinel* the high school senior Mason D. Kelsey made a similar point when he asked: "How could a child read into this story the problems of our sick society which the child has never run up against?"[28] "Any similarity with humans is purely accidental and the result of a biased adult imagination," we might paraphrase this line of argument. We may, however, be merely laughing off the problem of theming which is not settled even in this easy-seeming case.

For, upon closer scrutiny, we must admit that there is no safe intellectual ground on which we could offer a *principled* objection to a reading of *The Rabbits' Wedding* as an allegory for a human story. Obviously, animal stories have been read for a very long time, from Aesop's fables to Uncle Remus's Brer Rabbit, as allegories for human tales. Rabbits especially have inspired Hugh Hefner to visualize heterosexual relations as the encounter of fully clad men and the species of so-called "bunnies" that *Playboy* magazine has celebrated since December 1953. And for a long time, a well-known piece of American folk wisdom has suggested (I am paraphrasing here) that it is desirable to be like rabbits in the act on which the continued existence of "family" has always rested. If the short text of the book – cited by both sides (*New York Times* and *Orlando Sentinel*) as if it were a self-evident exhibit – has often been seen as proof *against* the segregationists' reading, it also contains clues *for* it :

> Two little rabbits, a white rabbit and a black rabbit, lived in a large forest....
> They loved to spend all day playing together.
> "Let's play Hop Skip And Jump Me," said the little white rabbit.

---

[28] *Orlando Sentinel*, 25 May, 1959, p. 9-A.

> "Oh, let's!" said the little black rabbit, and with a hop, skip, and a jump, he sailed right right over the little white rabbit's back....
> After a while the little black rabbit stopped eating and sat down and looked very sad.
> "What's the matter?" asked the little white rabbit....
> "I wish you were all mine!" said the little black rabbit.

This scene is repeated in variations: the black rabbit looks sad, and when the white rabbit asks him why, the black rabbit speaks of his wish to be with the white rabbit "forever and always." And so, the white rabbit gives her consent; and the scene that gives the book its title follows.

> All the other little rabbits came out to see how happy they both were, and they danced in a wedding circle around the little black rabbit and the little white rabbit. The other animals of the forest came to watch the wedding dance and they too danced all night in the moonlight.
>
> And so the two little rabbits were wed and lived together happily in the big forest, eating dandelions, playing Jump The Daisies, Run Through The Clover and Find The Acorn all day long.
>
> And the little black rabbit never looked sad again.

"Hop Skip and Jump Me" could be read as an affirmative answer to the question I have here posed, or as the rabbits' failure to recognize "natural boundaries" or seeing that they "make a funny pair." The text might be said, in Pavel's sense, make readers "care about" the boundary that the book's context was so strongly bent on upholding.

Garth Williams's rabbits that accompany his text are also quite explicitly anthropomorphic; they talk, decorate themselves with dandelions, and get married, with a big wedding party. They would seem to resemble human beings more than Chinese horses, even though the water-color inspiration is noticeable in Williams's style. More than that, the little black rabbit is repeatedly saddened by the thought (the reasons for which are not explained in the text, but make sense in the context of *Brown v. Board of Education*) that he might not always be with the white rabbit. Interestingly, a similar worry does not seem to cloud the white rabbit's *joie de vivre*, though she is ready to marry the black one if that will only dispel his sadness. The missing motivation within the text may be precisely what inspires the referential theming to click in. Theming "race" thus may have gone for an absence – a lacuna in the tale – that it filled. Was the Citizen's Council reading for the gap? Also, by contrast with Garth Williams's *Rabbits' Wedding*, his roughly contemporary, similar-looking rabbits in *Baby Farm Animals* (1959) and his illustrations for Margaret Wise Brown's *Home for a Bunny* (1961) do not show another black-white contrast in the bunny section of the animal kingdom.

In attempting to refute the "human" reading, Reed had to speak about "a simple animal story" (as if that excluded the possibility of a complex human allegory), and Garth Williams and Reed offered the explanation that black and white were used merely to differentiate characters, following a Chinese tradition. *Time*'s glibly cosmopolitan ridiculing and the author's attempt to make absurd the human theming of the book, drew on invoking animal varieties (horse, dog, and rabbit) and features ("fuzzy" or "fur") in order to build up contrasts between human/animal, adult/child, and hate/love – all of which actually ended up as an oblique critique of segregation, while denying the book any political motive and significance. Better to have the "soft furry love" of this "cottontale" (an effective pun, as it alludes to Beatrix Potter's famous *Peter Rabbit* and unites storytelling and animal feature) than the hard segregationist logic of columnists and politicians that makes "whites" out of polar bears, dogs, and rabbits. It may thus have been the "fit" between ideology and representation that permitted liberals to laugh at the segregationists' paranoia. In fact, we could generalize that the segregationists' "unmasking" of the children's book also revealed their desire to read rabbits' tales for interracial sex. This very desire to see interracial sex in any rabbit patch was obviously connected with the fear of any representation of it – for it would "brainwash" readers, weakening the young citizens' defenses. Hence representation was logically the same as advocacy, and therefore had to be stopped. This was the core of segregationist fear that resulted also in such institutions as exclusive beaches (and that the cat postcard perhaps also obliquely criticized).

The liberals, by playing literal readers, emphasized the difference between humans and rabbits, and did everything they could to make the segregationist position appear silly. Ingeniously, while denying that animals should ever be mistaken for human beings, they actually scored points against racial segregation as a system that may logically lead to the "banning" – of children's books. Needless to say, the slightly exaggerated story of the "ban" appears to have had a wide circulation in the North.

It probably would have constituted a breach of faith, but it certainly would have made the segregationists seem less ridiculous, if their opponents had spelled out and conceded the potential for human dimensions of the book. While the journalists seem to have been firm on this point, citizens who wrote letters were more open. Thus Jane Merchant in "An Explanation," her letter to the *Orlando Sentinel*, made a remarkable move in this direction when she wittily gave "segregation-minded mommies" the following advice: "you can safely read The Little White Rabbit and [The] Little Black Rabbit to the kiddies because first you explain all little bunnies are pink and harmless when born. Then they grow hair, white, black, brown just like blonde little Suzie or dark-haired little Bobbie!" Merchant thus connected the discussion of *The Rabbit's Wedding* with the debate about the origins of racial difference.[29] The representation of the bunnies in the wedding circle also cast them as "neither black nor white yet both," making the protagonists appear as if they were a foundational couple from whom all the other rabbits are descended.

---

[29] *Orlando Sentinel*, 25 May, 1959, p. 9-A.

In this controversy there also does not seem to have been a single ardent segregationist who would have supported the circulation of literature representing intermarriage (whether as an animal allegory or in human form) on the principle of Free Speech. And there was no criticism of the notion that the representation of certain themes *eo ipso* constituted a "promoting," or "recommending," of what was represented. All of these may be the effects of a politicized discussion; and there is little need to replicate it now. Instead, we might draw the conclusion from the incident that it is hard to predict in which contexts themes will be discovered in texts that are not overtly (though they may be at least "relatively" if perhaps not "absolutely") "about" these themes.[30] It is also interesting that one obvious theming – that the book's color differentiation was imitative of the outerwear favored by human bridegrooms (black) and brides (white) on their wedding days – was apparently never mentioned on either side of the debate. In the case of *The Rabbits' Wedding*, a book which has stayed in print from its first publication to the writing of these pages, one could identify such themes as love and marriage, the animal kingdom, or sadness and happiness, but it would be hard to categorically *exclude* the interracial theme on the grounds that this is simply an animal tale, and that "animals with white fur" cannot be "blood relations of white humans." Similarly, you could say that this talk has been about journalism, Orlando, Disney, the US Post Office, stamps, postcards, children's books, and even about milk-drinking.

This is not to say that theming is a random process. The method of using an absurdly chosen theme in order to mark the limits of theming also is a good one – though it was more convincing on ideological than on intellectual grounds in this case. Nilli Diengott once took the effective example of Ezra Pound's "In a Station of the Metro" (remember: "The apparition of these faces in the crowd; /Petals on a

[30] It would be interesting to compare *The Rabbits' Wedding* with, say, the film *Guess Who Is Coming to Dinner* (1967) in order to reflect on the difference.

wet, black bough"[31]) as a poem that may *not* be said to be about the maxim that we should drink milk regularly. More modestly, Erwin Panofsky observed that the ceiling of the Sistine Chapel can be understood better if we recognize that Michelangelo represents the fall and not a "déjeuner sur l'herbe."[32] Yet the social pressure exerted by the milk industry on the interpretation of imagism (or by Manet scholars on the iconography of Renaissance art) is undoubtedly less forceful than the political context that has surrounded the interracial theme, and repeatedly denied its legitimacy and its very existence. One could, of course, also imagine a situation in which Pound could indeed symbolize milk-drinking: for example, in a hypothetical society that banned both Pound's poetry and lactic nutrition, a resistance movement might be provoked to use "In a Station of the Metro" as a toast-in-code before surreptitiously defiant social milk-drinking. Though not popular at present, politically motivated milk-drinking rituals did take place in the French Revolution, when in 1793, right on the ruins of the Bastille, a statue much like the figure on the stamp that we saw at the beginning, but representing the fountain of French rebirth (by Isidore Stanislas Helman, after a design by Charles Monnet), provided nourishment from her breast for little citizens, thus creating among the diverse drinkers a sense of citizenship as siblinghood, of *fraternité* in the "Festival of the Unity and Indivisibility of the Republic."[33] Yet even if

---

[31] From *Selected Poems*, ed. and introd. T.S. Eliot (London: Faber and Faber, n.d.; orig. ed. 1928), p. 113.

[32] Nilli Diengott, "Thematics: Generating or Theming a Text?," *Orbis Litterarum*, 43, 1988, pp. 95-107; Panofsky in Ekkehard Kaemmerling, ed., *Ikonographie und Ikonologie: Theorien, Entwicklung, Probleme* (Köln: DuMont, 1991), p. 188.

[33] See Marc Shell, *Children of the Earth: Literature, Politics, and Nationhood* (New York and Oxford: Oxford University Press, 1993), pp. 142-143, for historical examples of revolutionary milk-drinking rituals designed to create a sense of siblinghood. "During the decade of the 1790s – when medical ideologists debated whether children who drank milk from extrafamilial nurse-mothers thereby became essentially bastards, and whether children who drank the milk of extraspecies animals thereby

we invoked this context it might be hard to argue that Pound's poem was actually "about" the maxim that we should drink milk regularly, though in our hypothetical situation a person reciting "In a Station of the Metro" might be charged with "urging" his audience to drink milk. Absurdly random public theming is by no means uncommon.

The process of theming is negotiated by debate and, in order to be justifiable, the result should probably also appear plausible *in the work* and not just in the power generated by public contexts, be they advanced by governments, citizens, ideologues, legislators, journalists, librarians, or literary critics. Theming is thus most convincing if the work at hand is plausibly shown to make the reader "care about" that theme. Random theming may lead to tyranny.

---

became essentially animals – the idea of national regeneration through common lactation, already a theme in American politics, was literalized at national milk-drinking rituals like the "Festival of the Unity and Indivisibility of the Republic" (an elaborate ceremony of August 10, 1793, orchestrated by Robespierre's associate, the painter Jacques-Louis David). A commemorative medal struck for the festival, entitled 'Regénération française' ... depicts milk or water spilling from the breasts of a statuesque alma mater, raised on the ruins of the Bastille and inscribed 'Ce sont tous mes enfants' (They are all my children)."

TOWARDS A POETICS OF HYBRIDITY

Ronnie Scharfman

Begin with art, because art tries to take us outside of ourselves. It's a matter of trying to create an atmosphere and a context so conversation can flow back and forth, and we can be influenced by each other.

W.E.B.DuBois

Between Edouard Glissant's concern that Caribbean culture be constituted as a "prophetic reading of the past," and Toni Morrison's definition of fiction as the "fully realized presence of the haunting of history," two novels face each other across diasporas, dialoguing with history and memory, supplementing lacks and erasure through the powers of fiction and the imagination, crossing borders of culture, race, gender, nomadizing across oceans and centuries, questioning and dilating our understanding of two of the most tragic episodes in modern Western history: the black experience of the Middle Passage and slavery at the hands of the colonizing Europeans, and the Jewish experience of persecution and genocide, reaching its culmination at the hands of the colonizing European Nazis during the holocaust. Starting now from Paris, migrating imaginatively to Gorée Island off Senegal and then to Guadeloupe and Warsaw, or starting now in Guadeloupe and traveling in time and space to Barbados, Puritan New England and back again, André Schwarz-Bart's *La Mulâtresse Solitude* (1972), and Maryse Condé's *Moi, Tituba, sorcière noire de Salem* (1986), bring us finally here, to New York, more precisely, to Brooklyn. By exploring the "poetics of métissage" at work in these two texts, I hope to pave the way for a hybrid reading/hearing of a third work of art, Anna Deavere Smith's 1993 performance piece, *Fires in the Mirror; Crown Heights, Brooklyn and Other Identities*.[1]

[1] André Schwarz-Bart, *La Mulâtresse Solitude* (Paris: Seuil, 1972);

The two Francophone novels in question deal with the textualization of racial memory in relation and response to catastrophe, different forms of creolization articulating moments of pain, despair, rage, as well as resistance and self-empowerment, evolving definitions of what constitutes belonging. For the individual female protagonists, Solitude and Tituba, both slaves and then maroons or freewomen, both racially *métisse* due to their African-born mothers' rapes by white sailors during the Middle Passage, these narratives also explore the relationships of specific heroines to the different communities surrounding them.

The generating matrix for André Schwarz-Bart's novel is one concise, condensed sentence taken from the first African-Caribbean history of Guadeloupe, written by Oruno Lara in 1921: "La Mulâtresse Solitude allait être mère; arrêtée et emprisonnée, elle fut suppliciée dès sa délivrance, le 29 novembre, 1802." (p. 7) From there, his novel reconstructs first the violent uprooting of the slaves from their native Diola country in West Africa, figured as a prelapsarian idyll of cosmic and human harmony, through the terrifying, dehumanizing ordeal of the Middle Passage, to the narrative proper of Solitude's life and death in Guadeloupe. The strange, autistic girl, with light skin, two differently colored eyes representing the two races of her biological parents as well as her two souls, African and Antillean, suffers her mother's rejection and abandonment, as well as the cruelties of enslavement. But this obscure, seemingly helpless run-away slave girl joins Delgrès and a group of maroons in an important, historically documented insurrection against the French, who sought to reinstate slavery in Guadeloupe after it had been abolished by the French Revolution. Although the maroons eventually committed suicide when they realized their revolt was doomed to failure, their heroic act of resistance to colonial oppression on top of the Matouba volcano has been

---

Maryse Condé, *Moi, Tituba, sorcière noire de Salem* (Paris: Mercure de France, 1986); Anna Deavere Smith, *Fires in the Mirror* (New York: Doubleday-Anchor, 1993). Page references to these texts will be found henceforth within the body of the essay in parentheses.

reappropriated recently by Guadeloupean writers as a source of proud identification. Solitude's role in the uprising, however, is given full imaginative treatment only in this novel, where Schwarz-Bart has invented her past and memorialized her for the future, where her suffering and exiles are vindicated by the links of solidarity she establishes with the creolized community of maroons fighting for their freedom, and by her final acts of heroism.

Condé's point of departure, too, is an historical episode only briefly recorded in early Puritan archives – Tituba's deposition from her 1692 witch trial in Salem. Her protagonist rages against her own future erasure from this history: white, colonial history, revealing the motivating force behind the novel's creation:

> Il me semblait que je disparaissais complètement. Je sentais que dans ces procès des sorcières de Salem... mon nom ne figurerait que comme celui d'une comparse sans intérêt. On mentionnerait ça et là 'une esclave originaire des Antilles et pratiquant vraisemblement le hoodoo'.... Aucune, aucune biographie attentionnée et inspirée recréant ma vie et ses tourments. (pp. 171-172)

To the insult of persecution as a black female witch, Tituba predicts the added injury of oblivion. By imagining both a past and a legendary legacy for her, Condé inscribes Tituba as a founding heroine of Caribbean culture. By endowing her with both a penetrating consciousness and an empowering subjective agency, Condé explores the tense, hesitant racial diversity of the early Americas, shifting fealties and affiliations, the possibility of transcultural fertilization, and the redeeming power of different kinds of love.

For Anna Deavere Smith, contemporary race-based urban crises in America provide the material for her on-going theater project, *On the Road: A Search for American Character,* whose very title signals process, change, migration, quest, evolving identities. She does not supplement history through literature so much as she re-creates an event by bringing to life, through individual ideolects, those who witnessed it or seek in some way to bear witness to it, using verbatim interviews as her text, giving voice to each point of view. Real people seem to emerge before us, with their multiple, justified, competing perspectives, their moral outrage and their grief, their fears and their prejudices, their humor and their hopes, their radical differences and their conscious or unconscious points of convergence and similarity.

Although Smith's project is unique, *sui generis*, the urgency of its concerns and the ethical commitment of its methodology speak to all of us – scholars, artists, teachers, citizens, working on the changing borders of cultural production. And I would argue that what Françoise Lionnet defines as the "aesthetic practice of métissage" in her book *Autobiographical Voices: Race, Gender, Self-Portraiture*, invoking a positive, active model of reading and writing inspired by Glissant's "poétique de la relation," can serve as a productive analytical tool for approaching *Fires in the Mirror*, as well as *Solitude* and *Tituba*.

Smith conceived and constructed her portraits around the violent riots that erupted between Afro-Caribbeans and Hasidic Jews in Crown Heights in August, 1991, when seven-year old Gavin Cato, a Guyanese-American boy was accidentally killed by a Hasidic driver out of control of his van. This tragic death was closely followed by the stabbing of Yankel Rosenbaum, a 29-year-old Hasidic student and teacher from Australia, at the hands of a group of young black men. It is beyond the scope of this essay to rehearse all of the events that polarized New York City for almost a year afterwards. But what is of interest to me is Smith's visionary, hybrid, protean reaching out, in each case, towards the other. Smith is grappling not only with what we see, hear, remember, but also with how, and why? If the Jewish tradition exhorts not to forget the slavery of the Hebrews in Egypt, nor the destruction of the temple and the exile first to Babylon, and then, definitively, into the diaspora, a tradition recapitulated in the memorializations of the Shoah, if the African-American tradition is attempting to retrieve its past from colonial occlusion, then the question these three works help us address is what it means culturally and socially to "retreat" into those pasts as collective identities, as forms of communal identification. What are the ramifications of invoking a sense of belonging based on the memory of shared trauma, wound, injustice? The age-old question of whether cultural production can help us "travel from the self to the other" as Smith puts it, is dramatized in the aesthetic practice of hybridity which characterizes these three works. They call for an active response from readers and viewers, indicating how we might practice reception, perception, as "métissage." In her introductory essay to an issue of the Scottish journal *Paragraph*, entitled "Practices of Hybridity," the postcolonial critic Mireille Rosello proposes the stimulating notion of "disidentification [as] a form of intellectual work, a mental vigilance that constantly requires us to let ourselves be displaced from a function, a stereotype, to slip away from a place of expectation. It requires a constant effort to rearticulate the site of one's belonging.... Hybridity as a practice would privilege encounters between discourses that imagine themselves as self-contained and separate."[2] Smith seems to respond to Rosello's call in her introduction to the published text of *Fires in the Mirror*, taking up the challenge not only mentally, but physically as well, through her voice and her body language:

> If only a man can speak for a man, a woman for a woman, a Black person for all Black people, then we, once again, inhibit the spirit of [art], which lives in the bridge that makes unlikely aspects seem connected. The bridge doesn't make them the same, it merely displays how two unlikely aspects are related. These relationships of the unlikely, these connections of things that don't fit together are crucial to American theater and culture if theater and culture plan to help us assemble our obvious differences. (p. xxix)

---

[2] Mireille Rosello, "Introduction," in "Practices of Hybridity." In *Paragraph*, March 1995, vol. 18, no. 1, pp. 3-7.

I would like briefly now to discuss some of the specific ways these theoretical reflections function in the three works under consideration.

What can it mean when a white, Jewish male from a Yiddish-speaking, Polish family that had emigrated to Metz only to be deported later to the concentration camps, decides, after his first, Goncourt-prize novel about the persecution of the Jews from the Middle Ages to Auschwitz, to write the saga of slavery in the French Caribbean? Between *Le Dernier des justes,* published in 1959, and *La Mulâtresse Solitude*, from 1972, a little known novel appeared, written by both André Schwarz-Bart and his Guadeloupean wife, Simone. I have argued elsewhere that *Un plat de porc aux bananes vertes* can be read, despite its obvious Franco-Caribbean referent, as the holocaust novel André claims he did *not* write with *Le Dernier des justes.*[3] In *La Mulâtresse Solitude*, a historically-researched fiction, Schwarz-Bart would seem to have embraced his subject entirely, overcoming his doubts about the right to speak for a community so different from his own, gaining the benediction he sought for his manuscript from the writers at "Présence Africaine," particularly Aimé Césaire. Yet these latter two novels have received little critical attention until very recently. An illuminating essay by Bella Brodzki, "Nomadism and the Textualization of Memory in André Schwarz-Bart's *La Mulâtresse Solitude*," underscores the problematic nature of the reception of the novels: "One begins to wonder if the set of readers of 'Holocaust' novels and the set of readers of 'Caribbean' novels are self-defined in mutually exclusive terms..."[4]

Here is Schwarz-Bart's description of a moment

---

[3] See my "Exiled From the Shoah: André and Simone Schwarz-Bart's *Un Plat de porc aux bananes vertes*," in Lawrence D. Kritzman, ed., *Auschwitz and After* (New York: Routledge, 1995), pp. 250-63.

[4] Bella Brodzki, "Nomadism and the Textualization of Memory in André Schwarz-Bart's *La Mulâtresse Solitude*," *Yale French Studies*, vol. 83, 1993, p. 216.

during the Middle Passage. Calling out across the night that is the belly of the slave ship, Bayangumay, Solitude's mother, seeks understanding amidst the Babel, seeks to inscribe her identity against the chaos of multitudes of strangers, to make a bridge to the familiar:

> Les miasmes répandus, l'odeur de mort engageaient les poumons sur un rythme nouveau, prudent, avare, palpitation imperceptible d'insecte... Soudain, l'air fut traversé d'appels. Les races, les tribus se cherchaient dans l'obscurité. Soulevée sur ses coudes, la jeune fille se mit à crier: Hommes du village de Séléki, je suis Bayangumay fille de Sifôk et de Guloshô boh. Elle attendit un long moment, quêtant un mot de sa langue natale dans le déferlement de plaintes et de cris étrangers... Tout à coup, elle fit glisser ensemble ses deux coudes dans le noir, s'allongea prudemment sur le dos et dit pour elle-même, si faiblement qu'elle ne s'entendit pas: Diolas, Diolas, n'y a-t-il pas un seul Diola dans ce poisson? (p. 39)

In this brief passage, we see Bayangumay move from the hope that would make resistance possible, to resignation and despair caused by her inability to connect to her larger community. In a recuperative moment later in the novel, her daughter Solitude moves beyond the self-enclosure of her autism when she finds a community among the maroons. Although she can never be of them, she can be with them, and it is as if the entire African diaspora, in all of its physical and linguistic diversity, becomes her society:

> Certaines [négresses] étaient petites et noires, d'autres avaient le visage plein de taches de rousseur, d'autres encore étaient longues et lisses et rouges comme des arbres dont on a enlevé l'écorce. Elles riaient, se moquaient volontiers les unes des autres, semblaient croire en leur éminence selon qu'elles se disaient Ibo, Mine, Bénin, Fani, Ngangué1é, venues des plaines, des savanes, des lacs, ou bien nées sur une de ces nombreuses îles vertes... elles façonnaient des proverbes, polissaient de

> petits couplets à l'intention de celles qui n'étaient pas de leur village... (pp. 102-103)

No longer quite African, not yet entirely Guadeloupean, these women are weaving new cultural forms in the process of becoming creole.

Whether or not the reader is convinced by Schwarz-Bart's representation of the transformative crucible which was the transition from slavery to armed resistance at the Matouba, the question of his motivation in choosing to write this narrative needs to be posed. Mireille Rosello, in her book *Littérature et identité créole aux Antilles*, while arguing that Schwarz-Bart's Solitude serves as the very model of the creole "métis", as in the Greek word for cunning resister, nonetheless resigns herself to stating: "Le fait est que le rapport entre Schwarz-Bart et les 'Antillais' est flou, trouble, et difficilement analysable," to which Lionnet responds, in the same book: "Il y aurait lieu de se demander si les liens mal formulés qui se tissent entre Schwarz-Bart et le passé antillais ne sont pas une puissante démonstration de métissage."[5] I would like to expand their debate by interpolating a text from Schwarz-Bart himself, quoting from one of the rare interviews he has ever given. It dates from 26 January 1967 in the *Figaro Littéraire* and is entitled, "André Schwarz-Bart s'explique sur huit ans de silence: Pourquoi j'ai écrit *La Mulâtresse Solitude*." Here he details the excruciating coming-to-writing of what will be his two Caribbean novels, describing the sense of solidarity he feels with the exiled Antillean population in Paris. He is articulating an anti-essentialist vision of community based on elective affinities:

> Ce qui m'a touché dès le début chez les Antillais, ce qui m'a fait véritablement les regarder en frères... c'est le mot esclavage... Aussi étrange que cela puisse vous paraître, ce mot me touchait surtout en tant qu'enfant juif, en tant

[5] Mireille Rosello, *Littérature et identité créole aux Antilles* (Paris: Karthala, 1992), pp. 150, 153.

> que descendant lointain d'un peuple né en esclavage et qui en émergea voici trois mille ans. Je me souvenais qu'en 1941, au premier soir de la Pâque juive, c'est à moi que fut dévolu l'honneur de poser la question rituelle au chef de la famille... 'en quoi est-ce que cette nuit diffère-t-elle des autres nuits?' Et je me souvenais de la réponse que me fit mon père, en hébreu: 'Enfant, c'est dans une nuit toute pareille à celle-ci que nos ancêtres sortirent du pays d'Egypte où ils étaient réduits en esclavage.' Et je crois que c'est cet enfant dont les pères furent esclaves sous pharaon, avant de le redevenir sous Hitler, qui se prit d'un amour fraternel et définitif pour les Antillais.[6]

To speak not for the other, but to the other, with the other, about the other, by going out from the most deeply identified part of the self, and to return, transformed by that experience: such is the nature of Schwarz-Bart's project. At the very end of the novel, there is a precise description of how the three hundred insurgents and Richepance's avant-garde are blown up by Delgrès' heroic, suicidal gesture, what the author characterizes as "l'ultime combat, le lieu de l'holocauste". (p. 132) Then the testimonial aspect of the historical fiction gives way to lyricism and legend as Solitude dies singing. Although this ends the narrative proper, a two-page Epilogue follows, a reverery, set off graphically in italics, situated in a hypothetical near future, and featuring an anonymous traveler, "le voyageur." In the author's imagination, this wanderer is a kind of pilgrim who will ask the way to the overgrown Habitation on the Matouba, ascend its heights to reevoke the human dimension of this story's meaning. The last sentence is nothing if not an invitation to begin again, to reread this novel as, indeed, a powerful demonstration of métissage as an aesthetic practice:

> Alors, s'il tient à saluer une mémoire, il emplira l'espace environnant de son imagination; et, si le sort lui

[6] André Schwarz-Bart,"André Schwarz-Bart s'explique sur huit ans de silence: Pourquoi j'ai écrit *La Mulâtresse Solitude*", *Figaro Littéraire*, 26 janvier 1967 [s.p.].

est favorable, toutes sortes de figures humaines se dresseront autour de lui, comme font encore, dit-on, sous les yeux d'autres voyageurs, les fantômes qui errent parmi les ruines humiliées du Ghetto de Varsovie. (p. 140)

That the last words of this scrupulously researched narrative should be "The Warsaw Ghetto," destabilizes, but does not undermine our reading of the novel until now. Its effect, though, is to move us back through the text, where we hear echos of another narrative, neither allegory nor palimpsest, but, rather, an open-ended invitation to imagine. The passage above is framed by its formulation in the conditional, its appeal to an almost passive giving-oneself-over-to-serendipity and the powers of the associative imagination, the reward being a vision which invokes and evokes its unexpected double, phantoms from the story we have just read, and their counterparts from a distant but related story which was being told all along between the lines. Schwarz-Bart effects a kind of reciprocal permeability in these astonishing last lines. Rereading Solitude in their light foregrounds a juxtaposition between the scene in the slave ship and the scene of the transport to Auschwitz from *Le Dernier des justes*. Similarly, the experience of slavery, in all of its vicious degradation and dehumanization as it is textualized in *Solitude* reminds one of the descriptions of the treatment of the deportees in Drancy from the earlier novel. And the mass suicide which ends *Solitude* harks back to the first pages of *Le Dernier des justes*, in which the 12th Century Rabbi Yom Tov Levy of York agrees to help all the remaining Jewish survivors of an English massacre by killing them himself and then by committing suicide, rather than being captured. Schwarz-Bart has built his bridge, both within *Solitude* and between his two worlds. It is fragile and precarious, stimulatingly problematic. It is constructed out of the lightness of a writer's whimsy, but it is undeniably there, and in closing the novel in the way he does, he invites us to cross that bridge. It is a challenge, I would suggest, that only the open borders of hybrid reading can allow us to take up.

In Condé's *Tituba*, the protagonist does not have to

leave to change the appearance of phantoms. They are part of her creole cosmogony, where the boundaries between the living and the dead are more fluid. They are part of her African heritage, and they constitute an important aspect of her art. The heroine's experiences in Barbados and Puritan New England dramatize the problematic valorization of a set of cultural values and practices called, by some, "sorcery." But in the surprising relationship that develops between Tituba and the Jewish merchant who "buys" her after the witch trials, her ability to conjure up the spirit of Benjamin Cohen d'Azevedo's recently deceased and beloved wife will not only be immediately respected as legitimate and desirable by this religious Jew, but will also become an unlikely source of tenderness, affection, and mutual dependence between them. Who is this character, and why has Condé included him in her narrative? What can we learn about hybrid writing and reading practices from the ways he is woven into the story? Both personally and culturally he is textualized as the ultimate other. For Tituba, as a woman "in touch with her sexuality," Benjamin represents the anti-object of desire. His skin is the color of eggplant, his hair red, he is a hunch back, walks with a limp, and is bow-legged to boot! This exaggerated portrait is meant to point up how different he is, of course, from the strong, handsome, virile love of Tituba's youth, her métis husband from Barbados, John Indian. One might argue that both depictions are parodic. But as Tituba and Benjamin become lovers, his emblematic ugliness becomes transparent, laying bare an anguished but loving soul. Tituba's ability to love this Jewish man is contrasted with the Puritans' racism and anti-Semitism. She shares with him the condition of being "strangers in a strange land." Tracing his persecution and wanderings from Portugal to Holland to Brazil to Curaçao and then the American colonies, Tituba comes to identify with his sense of insecurity in his new surroundings, and the tight solidarity, even insularity, of the tiny Jewish community in Salem. Caring as she does for Benjamin's nine children, learning to respect the rituals of the Sabbath that are textualized through the intervention of Hebrew prayers and terms from the lexicon of Jewish religious practice, lover by night, invited by Benjamin to become Jewish, since nothing forbids it, Tituba would appear to have found a true partner, except for one major difference – she is a black slave, whose freedom Benjamin will not grant until disaster strikes! Despite his affection for Tituba, and empathy for her suffering, he needs her as the bridge to his dead wife.

The pillow talk of this unlikely couple consists, at one point, in competing versions of the pains of persecution. While Condé clearly means to demonstrate in this dialogue that no group has a monopoly on suffering, Benjamin's recourse to specific details of historical memory, and his position of power as a slave-owning male, give him a distinct advantage in their discussions:

> Tituba, sais-tu ce que c'est qu'être un Juif? Dès 629, les Mérovingiens de France ont ordonné notre expulsion de leur royaume... Sais-tu combien d'entre nous ont perdu la vie sous l'Inquisition?
> Je ne demeurais pas en reste et l'interrompais:
> –Et nous, sais-tu combien d'entre nous saignent depuis les côtes d'Afrique?
> Mais il reprenait:
> –En 1336, c'est du Rhin à la Bohème et à la Moravie que nous éparpillions notre sang!
> Il me battait à tous les coups. (p.197)

In Daniel Maximin's Guadeloupean novel, *L'Isolé soleil*, there is a character who speaks of identification as being the enemy of identity. By exploring the affective relationship between Tituba and Benjamin, Condé analyzes the alienating dangers that threaten a self drawn to becoming the other, without undermining the reciprocal transformations that the couple undergo as a result of the real contact and exchange that they experience. Isolated, discouraged and lonely, Tituba only naturally slips towards the comforting illusion of belonging:

> J'appris à baragouiner le portugais. Je me passionnai pour des histoires de naturalisation et m'irritai quand la mesquinerie d'un gouverneur la rendait difficile, voire impossible. Je me passionnai pour des histoires d'édification de synagogue et appris à considérer Roger Williams comme un esprit libéral et avancé, un véritable ami des Juifs. Oui, j'en vins comme les Cohen d'Azevedo à diviser le monde en deux camps: les amis des Juifs et les autres.... (p. 198)

The others, in this instance, are the hating, hateful Puritans, who eventually burn down Benjamin's house, killing his nine children, and expelling two despised minorities, the Black witch and the rich, deformed Jew. Rendered equal by their respective victimization, objects of suspicion and disdain in the fanatical Puritan community, Tituba and Benjamin function as allegories for the racial divisiveness that plagues contemporary American society. As Condé states in an interview with Ann Scarboro that serves as the afterward to Richard Philcox's English translation of *Tituba*:

> The Puritans were opposed not only to the blacks, but also to the Jews... I tried to associate discrimination against the Jews with discrimination against the blacks... Writing *Tituba* was an opportunity to express my feeling about present-day America. I wanted to imply that in terms of narrow-mindedness, hypocrisy and racism, little has changed since the days of the Puritans. (pp. 201-203)

What mitigates this harsh reality is Condé's tracing of the genesis of the Jewish character in the novel to the open discussions she had with a friend and colleague of hers at the time, a Jewish woman. This version of hybrid listening, based, once again, on elective affinities rather than on self-enclosed and mutually exclusive definitions of identity is woven into the text of *Tituba*, enriching its texture and, ultimately, empowering the protagonist in her construction of selfhood. If a certain version of female bonding is described in this autobiographical anecdote, we can measure its effects in fiction by exploring the beautiful friendship that develops between Tituba and "Hester Prynne" in prison.

It is at this juncture that I would like to introduce two of the voices incarnated by Anna Deavere Smith in *Fires in the Mirror:* first, The Minister Conrad Mohammed, a representative of Louis Farrakhan's Nation of Islam, and then, the writer Letty Cottin Pogrebin, author of *Deborah, Golda and Me.* These two public figures were chosen, among others, because their interviews provide historical and cultural contexts for the outbreak of racially motivated violence in Crown Heights.

How are we to receive the multiple performances of minority identities, black and white, Muslim and Hasidic, Caribbean and American and Australian, presented through the verbal artistry of a Baltimore-born woman of color? "Métissage", understood once again as Lionnet uses it, as both a concept and an aesthetic practice, acquires new meanings through Smith's extraordinary dramatic *tour de force*. She does not literally imitate any of her interlocutors, but functions rather as a vehicle for each voice. To say that she becomes a vehicle denotes, in the terminology of rhetoric, that she functions as the term in a metaphor which, applied in a figurative way, changes the meaning of the tenor, dilates it, hybridizes it. Her astonishing attention to ideolect as articulation of both word and world, and her skill at reproducing it without the static of her own noise interfering attest to her respect for the value of each individual's expression. She inhabits the words as she hears them, trying not to deform or manipulate them consciously. These two portraits, "The Chosen" and "Isaac," placed back to back as they are by Smith's reenactments, seem to function initially as polar opposites, incarnations of competing truths, striving for legitimation, mutally exclusive. Yet a closer look and listen reveal illuminating points of convergence as well as divergence. Both portraits address issues of how we recount our histories of horror and terror, of how we identify with collective memory, fighting to retrieve it to resist amnesia, conscious of its power to persuade, or hesitant to misuse it, trivialize it, or be constituted only by it. Even as Smith makes us aware of how we use our narratives of collective memory to construct identities, she underscores the unstable, polysemic nature of the signifier, such that no one constituency can ever have an exclusive claim to truth. This is not to say that she relativizes, levels off, neutralizes all outrage, all injustice, all suffering. On the contrary, she lays bare each version, demonstrating not only the ethical urgency of transmission, the need to bear witness and to call upon us, the narratees, as active participants, with a responsibility to *hear,* and thereby to testify, but also, the cathartic effect of the telling. Both are committed, though with totally different affects, to "speaking the unspeakable," and both have the potential to manipulate our emotions.

The ambiguous impact of Minister Mohammed's monologue derives from three aspects of his discourse: the content, that is, a graphic recapitulation of the history of the multiple crimes inflicted by slavery over hundreds of years, as well as its enduring consequences to be seen in the alienation of black people in America today; its intention, which is to teach, to convince, to produce a counter-knowledge that resists colonialism's forced amnesia, even at the risk of propagandizing, and by so doing, to inspire outrage; and, finally, the force of the rhythms that punctuate the vision of the horror he is describing. The anaphoric repetition, seven times, of the locution "not only," carries the listener on a wave of cumulative emotional power, heightened by the biting irony and sarcasm of the tone. Our rage builds as each new injustice is added to the list, yet so does our skepticism as Smith conveys the hyperbolic intent of his harangue. Having convincingly established the case against the white race, the second movement of Minister Mohammed's monologue addresses issues of "mistaken identity" perpetrated by the Jews, who call themselves the "Chosen," and ends with a reckoning meant to minimalize the validity of the Jewish claim to a "Covenant with Abraham." This sinister segue to the demagogic discourse of anti-Semitism puts Minister Mohammed's monologue into question retroactively, provoking discomfort in the audience.

Although his monologue is articulated along the lines of mutual exclusion and accusation, ("they are masquerading in our garments"), and although Letty Cottin Pogrebin's story would appear to be a self-contained holocaust testimonial, their placement back to back in Smith's performance constitutes a strong statement about hybrid linking. The verb "to relate" resonates in both its meanings here – to tell, and to connect. Is it an accident that the last words Minister Mohammed pronounces are "The Covenant with Abraham," and that the next monologue is entitled "Isaac?" Is it merely ironic that the "Issac" of the Hebrew Bible, saved from being sacrificed by his Father Abraham, should, in Pogrebin's story, be "chosen," to survive the holocaust, that is, the sacrifice of entire people, and devote himself to transmitting the terrifying truth? Isn't this juxtaposition, in fact, another powerful demonstration of the aesthetics of hybridity, where seemingly polarized, unrelated tragedies can be "heard," simultaneously, as it were, opened up to their unconscious mutuality? The effectiveness of Smith's performing of these stories is to have captured the absolutely different nature of each. Pogrebin is a reluctant, self-effacing story-teller, shrinking behind a framed tale, read, not preached, indirectly, over the telephone, as if she seeks to distance herself from the predictable emotional impact. But Smith gives us to hear the progressively halting phrasing, the hushed, heartbroken reverence for the dead like the prayer for mourners, called "Kaddish," the voice fading as if the echo of the disappearance of Isaac, kept alive only because he was exhorted to transmit the horror. Remarkably, as Smith's Pogrebin moves us through the recounting of the terrors of the camps with a voice trembling to maintain its control, as we pass through each version, translated from "my Mother's Yiddish" to Pogrebin's story, to its reading through Smith's voicing, we hear, also, the echoes of the slave ships in the cattle cars, the continued uprootings and exiles and alienations after the catastrophes, the finality of death and the continuation of the story. Pogrebin takes up where her Uncle Isaac left off, Smith takes off from her, and translates it to us.

Because she does not judge, we no longer immediately take sides, but find ourselves, rather, moving away from those sides we habitually, almost unconsciously, find ourselves on, fixed, polarized identities dictated by affiliation, race, religion, ethnicity, gender, sexuality. As Smith migrates, transforms herself so that we look at her, but hear and see a Hasidic Australian brother, or an Afro-Guyanese father, the rage and grief of men and women, black and white, famous and anonymous, she calls upon us, too, to become permeable, "poreux à tous les souffles du monde," as Aimé Césaire would say. By her own exemplary performance of hybridity she can move us to a place of tears, move us to the brink of moral outrage, move us into the communal space of shared laughter. If Crown Heights was a war zone, Smith has insinuated herself into it, creating a DMZ of her own by using dramatic skills that deconstruct frontiers, boundaries, borders. In so doing, she continues the cultural work of métissage begun by writers like Schwarz-Bart and Condé, calling for a poetics, a politics, and, most importantly, an ethics of hybridity.

LE METISSAGE DU TEXTE

Maryse Condé

Chacun reconnaîtra avec moi qu'un des exemples les plus frappants de métissage est l'existence physique d'un livre, la production d'un texte écrit par un Négro-africain, qu'il soit texte de poésie ou texte de fiction. Au fil des années, étant donnée l'abondance de la production littéraire tant dans la Caraïbe qu'en Afrique et la banalisation de l'objet-livre, nous avons perdu devant lui tout sentiment d'étrangeté. Nous oublions trop qu'à travers la reliure de l'objet-livre, nous voyons s'opérer la rencontre fastueuse entre Gutenberg et Kankan Moussa. L'or et les trésors que l'Empereur distribua en se rendant en pélerinage à la Mecque cessent d'être les objets de supputations et de mythes. Ils sont comptabilisés par des scribes coiffés de hauts cimiers ornés de poils de fauves et de cauris, cheminant à l'arrière de la caravane impériale. C'est à dire que cette fusion entre parole et écrit dont le rêve apparemment impossible a hanté pendant si longtemps la conscience des écrivains de l'Europe s'accomplit sous nos yeux. On connait la célèbre phrase de Rousseau dans *L'Emile*: "Je haïs les livres; ils n'apprennent qu'à parler de ce qu'on ne sait pas".[1] Pour Rousseau, le livre tel qu'il était conçu en Europe à son époque était un objet dont l'importance, la prééminence étaient fâcheuses. Il avait volé son empire à la parole qui, aux yeux de Rousseau, possédait plus d'authenticité et de vie que l'écrit. S'il fallait, nous dit-il encore, juger du génie d'un homme d'après ses livres, ce serait comme juger de sa beauté en considérant son cadavre. On peut affirmer que par son existence, le livre négro-africain, aboutissement de deux traditions, réconcilie Nature et Culture. Il apaise les angoisses d'esprits tels que Rousseau et manifeste l'intégration entre pouvoir de la

---

[1] Jean-Jacques Rousseau, "Emile", *Œuvres complètes*, vol. I, eds. B. Gagnebin et M. Raymond (Paris: Gallimard La Pléiade, 1959), p. 1042.

parole et usage de l'écrit. Les livres ne sont plus des corps morts, rangés dans les grands cimetières des bibliothèques, mais des collections d'objets vivants, floraux, comparables à cet herbier dont Rousseau avait le projet.

A l'intérieur du texte, l'étude des tentatives de fusion entre l'Oralité et l'Ecriture est un des problèmes les plus épineux de la théorie des littératures post-coloniales. On a cependant trop tendance à croire que ce problème de l'appropriation de la langue de l'Autre est un problème qui se pose consciemment seulement aujourd'hui, qui est exposé et résolu à merveille dans les Antilles francophones par les trois signataires de *l'Eloge de la Créolité.* On croit trop souvent que les auteurs qui écrivaient avant 1989 le faisaient dans une bienheureuse (et coupable à la fois) inconscience des problèmes du métissage du texte. Et que certains auteurs contemporains, auxquels manque sans doute la fibre nationaliste ou qui se trouvent mal enracinés dans leur terre -- les prétendues explications ne manquent pas -- demeurent malheureusement réfractaires à cette nécessité. En réalité, le souci du métissage du texte n'a jamais été absent de la pratique de nos écrivains. Ils croyaient comme on le croyait alors qu'une langue correspond à une vision du monde et à une forme de vie sociale. Et que celle-ci risquait donc d'imposer une structure mentale à ceux qui la pratiquent et par conséquent, de s'opposer à la parfaite traduction de réalités autres. Car rappellons-le, l'auteur n'est qu'un traducteur. Traducteur de son Moi. De son imaginaire. Et de sa réalité. Pour preuve, je voudrais rappeller les beaux vers, trop connus peut-être et par conséquent oubliés, du poète haïtien Léon Laleau qui figurent dans *La Nouvelle Anthologie Poétique* de L. S. Senghor qui date de 1948. Déjà!:

> ... sentez-vous cette souffrance
> Et ce désespoir à nul autre égal
> D'apprivoiser, avec des mots de France,
> Ce coeur qui m'est venu du Sénégal?[2]

---

[2] Léopold Sédar Senghor, ed., *Anthologie de la Nouvelle Poésie Nègre et Malgache* (Paris: Presses Universitaires de France, 1948), p. 108.

Dans un article fort intéressant publié dans l'ouvrage collectif *Penser la créolité* et intitulé "Inscription du créole dans les textes francophones", Pascale de Souza montre les divers modes d'intégration du créole. Elle distingue dans un premier temps, l'écriture en italiques, la mise entre guillemets, la note explicative, seules ou combinées. Dans un deuxième temps, l'absence d'italiques et de guillemets avec la persistance de notes explicatives, incises en bas de page ou réunies dans un glossaire. Dans un troisième temps, la créolisation plus ou moins poussée des structures linguistiques elles-mêmes. Evidemment, il faut se garder de prendre à la lettre une telle catégorisation qui ne correspond toujours pas à la chronologie. En outre, à mon avis, Pascale de Souza minimise quelque peu le role de l'éditeur parisien, autre agent du métissage, dans la présentation d'un texte. Souvent, c'est lui qui impose la présence des notes, d'un glossaire. Pourtant, cet article illustre bien le passage de la transparence à l'opacité sémantique, variable selon l'écrivain. Il pose surtout une question fondamentale:

> La créolisation des textes n'est toutefois pas uniquement imputable à une revendication identitaire. Révèle-t-elle réellement chez les écrivains une évolution dans l'appréhension de leur Altérité?[3]

Il ne faudrait quand même pas confondre souci de métissage et recherche de l'exotisme. Certes, dans les deux cas, certains des champs lexicaux qui saturent le texte se confondent. Ils abondent en éléments permettant de créer ce qu'il est convenu d'appeller une couleur locale: la flore, la faune, la cuisine, les vêtements, les bijoux, le monde des esprits avec son cortège de zombis, volans, soukougans, guiabs, dorliss. Néanmoins, ces ressemblances sont de surface. Dans le cas de la recherche d'exotisme, il s'agit d'artifices lexicaux. Disons dans un essai de définition que le métissage du texte s'appuie

---

[3] Maryse Condé et M. Cottenet-Hage, eds, *Penser la Créolité* (Paris: Editions Karthala, 1995), p. 174.

chez l'écrivain sur un effort d'être appréhendé dans sa double dimension culturelle tandis que la recherche d'exotisme revient à constituer artificiellement un espace-refuge pour des éléments et des valeurs culturelles définis par l'Autre. Saint John Perse, pourtant qualifié par certains de poète exotique, définit ainsi l'exotisme: "L'exotisme n'est, en dernier lieu, qu'une atroce grimace: un satanisme! une fuite et une lâcheté".[4] Les exemples de métissage du texte ne se limitent pas bien sûr à l'univers littéraire caribéen. Dans un autre ouvrage collectif, celui-là intitulé *Essai sur les Soleils des Indépendances ivoiriens*, Christophe Dailly illustre le métissage du français et de la langue malinké dans ce roman. Je ne peux pas résister au plaisir de citer la célèbre ouverture où selon l'expression savoureuse d'Edouard Maunick, le malinké couche avec le français pour lui faire un bâtard: "Il y avait une semaine qu'avait fini dans la capitale Koné Ibrahima, de race malinké, ou disons-le en malinké: il n'avait pas soutenu un petit rhume... "[5]

Mais, c'est devenu un lieu commun de souligner combien Amadou Kourouma a tenté de plier la langue française aux structures linguistiques du malinké. Ce qui me semble plus important, c'est l'emploi – et Harris Memel-Fote nous le démontre – surabondant, obsessionnel, épique que Kourouma fait du concept de la bâtardise. Tout son livre est construit sous ce signe. Evidemment, les deux termes bâtard et métis ne sont pas synonymes. Le premier, plus négatif, est aussi un terme juridique. En Droit, il désigne l'illégitimité. Cependant, on conviendra qu'ils intègrent tous deux la notion d'altération dans la culture et la nature. Ils sous-entendent tous deux l'opposition binaire: pureté/impureté. Pureté/impureté des êtres. Pureté/impureté des races, des institutions. Par suite du viol de la colonisation, la culture malinké s'est trouvée engrossée par la culture européenne et les conséquences en sont des désordres de toutes sortes. Le

---

[4] Saint John Perse, "Eloges", *Œuvres complètes* (Paris: Editions Gallimard La Pléiade, 1970), p. 738.

[5] Ahmadou Kourouma, *Les Soleils des Indépendances* (Paris: Editions du Seuil, 1970), p. 7.

texte d'Amadou Kourouma illustre également une autre forme de bâtardise: celle de l'Islam qui est placé en situation de convergence ou de concurrence avec la religion traditionnelle. "Allah, écrit J-P Gourdeau, est le suprême témoin d'une bâtardise généralisée dont les principaux acteurs sont les fils de chiens qui jalonnent le chemin de Fama."[6]

On serait tenté de dire que les bâtardises, les métissages dont souffre la société post-coloniale de la République des Ebènes s'expriment par la bâtardise, le métissage du texte, écriture et structure narrative comprises. Je renvoie aux innombrables études qui prouvent combien *Les Soleils des Indépendances* échappent à la structure classique du roman. Les *flash-backs*, la tournure du récit d'abord centré sur Fama, le prince presque mendiant, se détourne vers le couple Fama-Salimata, puis se décentre vers un nouveau couple tout aussi contrasté Diamouru/Balla, etc.

On pourrait multiplier les exemples du genre que je viens d'illustrer. Le monde anglophone, tant africain qu'antillais, offre des exemples particulièrement réussis de ce métissage du texte. Un rapide coup d'œil à l'œuvre de Chinua Achebe le prouve. Il mélange dans ses textes les métaphores du parler traditionnel, des proverbes surtout, la *lingua franca* des masses urbaines relativement "évoluées", le pidgin des *underdogs* et l'anglais standard, selon les personnages et les situations qu'il entend mettre en scène. L'écrivain Wilson Harris va encore plus loin. Selon lui, la structure binaire située à la base de toute langue européenne est liée au processus de conquête et de domination qui fonde son histoire. Aussi, c'est cette structure binaire qu'il convient de frapper à mort, de détruire. On trouve aussi de fascinants exemples de métissage du texte dans la *dub-poetry* des Jamaïquains et dans la littérature Rasta. Pourtant, ce qui m'intéresse, quant à moi, n'est pas vraiment ce face-à-face à l'intérieur du texte entre langue dite maternelle/langue dite de colonisation. Encore aujourd'hui, les critiques s'épuisent, vainement à mon avis, en discussion à propos de Saint John Perse. Quand il écrit

---

[6] J. P. Gourdeau, "Essai sur Les Soleils des Indépendances", *Les religions* (Abidjan: Nouvelles Editions Africaines, 1977), p. 68.

dans *Eloges*, “Pour moi, j’ai retiré mes pieds,”[7] est-ce que c’est du créole? Quand il écrit “l’amande de kako,”[8] cela ressemble au créole: kako pour cacao. Plus loin, “la graine de café,”[9] c’est le créole “grin’café”? Dans ce débat langue dite maternelle/langue dite de colonisation qui n’en finit pas d’alimenter des querelles, je dirai que je suis proche des positions de Chinua Achebe. J’estime comme lui qu’il a été “inutilement sensationnalisé”. Il n’est pas seulement de nature politique, mais, trop souvent hélas, de nature démagogique. En outre, l’opposition binaire (encore une!) langue maternelle/langue de colonisation contredit la tendance des recherches actuelles. Il semblerait que de plus en plus, les chercheurs opposent à une conception, on pourrait dire, essentialiste de la langue, conçue comme l’expression rigide d’une vision du monde, celle d’une conception hybride, métisse. Cela revient à dire que deux cultures différentes pourraient se fondre sous les mots, à l’intérieur d’une langue. La même langue pourrait signifier différemment, selon la conscience des locuteurs, leur statut social, leur système de références, de croyances... En l’utilisant, et du simple fait de son utilisation, le colonisé transformerait pour son usage la langue du colonisateur. Il la métisserait.

Pour en revenir au texte, à mon avis, le problème de son métissage dépasse les littératures post-coloniales et constitue un des problèmes majeurs de la littérature tout court. Il s’est posé de tous temps, sous tous les cieux, aux écrivains français, comme aux Italiens ou aux Etatsuniens. “Les beaux textes, écrit Proust dans *Contre Saint-Beuve*, sont toujours écrits dans une sorte de langue étrangère.”[10] Etrangère pour qui? Si l’on admet que c’est pour celui qui la produit, i.e. l’écrivain lui-même, deux explications sont possibles. La première, c’est cette indépendance du texte vis-à-vis de son créateur qui a déjà été soulignée à plusieurs reprises. On sait que non seulement les phrases du texte

---

[7] “Eloges” de Saint John Perse, op. cit., p. 46-47.

[8] *Ibid.*, p. 7.

[9] *Ibid.*, p. 7.

[10] Marcel Proust, *Contre Sainte-Beuve* (Paris: Folio, 1954), p. 297.

s'organisent d'elles-mêmes dans l'œuvre poétique, c'est le fameux "les mots font l'amour" de Breton, mais dans l'œuvre de fiction, les actions et les personnages forment leur propre configuration. Ainsi, l'œuvre achevée, dans sa langue comme dans sa structure, prendrait son propre créateur au dépourvu. Elle lui apparaîtrait comme étrangère. La deuxième explication est peut-être plus juste: dans *La Poétique de Dostoïevsky*, Bakhtine formule une théorie de la polyvalence intertextuelle:

> L'artiste prosateur, écrit-il, évolue dans un monde rempli de mots d'autrui, au milieu desquels il cherche son chemin. Tout membre d'une collectivité parlante trouve non pas des mots neutres "linguistiques", libres des appréciations et des orientations d'autrui, mais les mots habités par des voix autres.[11]

Le beau texte, je reprends l'expression même de Proust, serait donc celui qui déconstruirait, puis reconstruirait, ces clichés, ces mots usés, comme on dit des eaux usées qu'il faut retraiter dans des laboratoires. Pour parvenir à cet effet, l'écrivain devrait donc faire appel à toutes les ressources langagières à sa portée pour parvenir à créer ce qui apparaît comme une langue étrangère, différente de celles qui ont été employées jusque-là. Rappellons-nous Roland Barthes dans *Le Plaisir du Texte*: "La confusion des langues n'est plus une punition. Le sujet (ici le lecteur) accède à la jouissance par la cohabitation des langues, qui travaillent côte à côte: le texte de plaisir, c'est Babel heureuse".[12] Dans ce cas, et je vous demande votre avis, un parfait exemple de ce texte métis au sein duquel s'inscrivent mille apports, mille influences hétérogènes, qu'il transcende tous et contraint à l'unité, n'est-il pas le texte césairien?

Je ne me livrerai pas ici à une étude des textes césairiens. Je n'en ai pas le temps. Et puis, vous savez aussi

---

11 Mikhail Bakhtine, *La Poétique de Dostoïevsky* (Paris: Seuil, 1970), p. 21.

12 Roland Barthes, *Le Plaisir du texte* (Paris: Seuil, 1973), p. 82.

bien que moi combien le *Cahier d'un Retour au Pays Natal*, par exemple, charroie une abondance de mots techniques, en particulier de termes ayant trait à la flore et la faune, dûs à l'influence du professeur de géographie de Césaire, Eugène Revert; d'images surréalistes, pêle-mêle, d'influence de Freud, d'Apollinaire, de Claudel, de Saint John Perse, de Mallarmé, de Lautréamont, de Rimbaud, de Valéry. Sans parler des néologismes, des paraphrases et des jeux de mots. Sans parler du souvenir de ses maîtres gréco-latins. Vous savez combien ses pièces de théâtre, dont une est une directe réécriture de Shakespeare, ont en mémoire Nietzsche, la culture yoruba, le vaudou haïtien, les discours politiques du Congolais Lumumba. En bref, sur une seule page d'Aimé Césaire, ouverte au hasard, le métissage le plus complexe se déploie pour notre enchantement à tous.

Plus près de nous, *L'Ile et Une Nuit*, le dernier roman de Daniel Maximin est selon les mots même de l'auteur, un mariage d'Orient, d'Afrique et d'Amérique. Son titre est plus qu'un de ces jeux de mots, chers aux Surréalistes. Il allie deux métaphores, celle de Shéhérazade et celle du cyclone qui semblent d'abord étrangères, empruntées à deux univers distincts, mais que sa volonté de créateur rapproche et bientôt, soude l'une à l'autre. Puissance de la parole humaine absente cette nuit-là, mais pourtant, seule capable de tenir tête pendant sept heures à la puissance de la parole des éléments: "Ce sera, écrit Maximin, une veillée sans contes ni chansons, où il nous faudra pourtant caresser nos peurs et nos silences, pour ne pas engourdir les gestes de survie."[13] Saint John Perse, Aimé Césaire et Simone Schwarz-Bart sont présents dans le texte de Maximin, parfois au moyen d'inscriptions littérales qu'on aurait tort de prendre à la lettre, car, transplantées, déracinées, elles signifient tout autrement. Tantôt, l'écriture semble s'inspirer de celle des contes, conte européen à la Perrault, conte folklorique des Antilles à la Ti-Jean. Tantôt, poétique, elle abonde en "métaphores filées", à la manière d'André Breton. Tantôt, elle est traditionnellement épique. Comme dans ses

---

[13] Daniel Maximin, *L'Ile et Une Nuit* (Paris: Seuil, 1995), p. 12.

précédents romans, Maximin pratique le métissage entre références littéraires et références musicales: musique du jazz, blues, chants populaires d'Haïti, rythmes afro-cubains.

On l'aura compris, pour moi qui ne crois plus guère à la race, le métissage n'est pas une question d'ethnicité. De sang. Comme on dit aux Antilles, de "peaux chappées" et de bons cheveux. Il s'ancre au plus profond. Dans la culture. Aucune culture n'est pure. Nous avons tendance à réduire la nôtre parce que nous mythologisons une part, toujours la même, de notre histoire: l'arrachement à la matrice africaine, le Middle Passage. Nous l'arrêtons bien volontiers au système de plantations. Nous nous accrochons à l'oralité et mythifions le Conteur. Nous ne voulons pas reconnaître que pour le meilleur et pour le pire, la colonisation a signalé notre entrée dans ce qu'il est convenu d'appeller la modernité. Les migrations, l'évolution du monde dans lequel nous vivons ont fait le reste. Ainsi qu'une bonne majorité des êtres humains, en cette fin du 20ème siècle, nous sommes devenus des métis. Le défi consiste à accepter ce fait et à intégrer ce pluriculturalisme dans nos existences, ce que certains écrivains ont déjà accepté et intégré dans leur texte.

NOTE A PROPOS DES AUTEURS

Jean-Loup AMSELLE est directeur d'études à l'Ecole des Hautes Etudes en Sciences Sociales à Paris et rédacteur des *Cahiers d'Etudes Africaines*. Il a publié les ouvrages suivants: *Logiques Métisses* (Payot, 1990) traduit sous le titre *Mestizo Logics* (Stanford U. Press, 1998), *Vers un multiculturalisme français* (Aubier, 1996) et *Maurice Delafosse, l'itinéraire d'un africaniste* en collaboration avec Emmanuelle Sibeud (Maisonneuve et Larose, sous presse).

Jean-Luc BONNIOL a été enseignant à l'Université Antilles-Guyane dans les années 70 et au début des années 80. Il est aujourd'hui professeur d'anthropologie à l'Université d'Aix-Marseille. Auteur de *Terre-de-Haut des Saintes* (Editions Caribéennes, 1980) et de *La Couleur comme maléfice* (Albin Michel, 1992), il est membre du Comité International des Etudes Créoles.

Maryse CONDE est titulaire d'une chaire de littérature francophone à Columbia University. Critique littéraire et écrivaine, elle est l'auteur d'essais tels que *La Civilisation du Bossale* (L'Harmattan, 1978), de pièces de théâtre, dont *Pensions les Alizés* (Mercure de France, 1988) et de textes de littérature juvénile. Au nombre de ses romans figurent *En attendant le bonheur/Heremakhonon* (Seghers, 1988), *Ségou* (Laffont, 1985), *Les Derniers Rois Mages* (Mercure de France, 1992). Elle a reçu plusieurs prix littéraires, dont le Prix de l'Académie Française pour *La Vie scélérate* en 1987 et le prix Carbet de la Caraïbe en 1997 pour son roman le plus récent, *Desirada*.

Edouard GLISSANT est romancier, poète, essayiste et auteur d'une pièce de théâtre, *Monsieur Toussaint* (Seuil, 1986). Son œuvre poétique comprend plusieurs recueils, dont *Les Indes* (Seuil 1965), *Pays rêvé, pays réel* (Seuil, 1985). Son premier roman, intitulé *La Lézarde* (Seuil, 1958), a reçu le prix Renaudot. Il a écrit une série d'essais autour de la définition de l'identité caribéenne par l'histoire et la langue – l'*antillanité* – parmi lesquels *Le Discours antillais* (Seuil, 1981), *L'Intention poétique* (Seuil, 1969), et *La Poétique de la relation* (Seuil, 1990). L'ensemble de son œuvre vient d'être republié chez Gallimard. Il enseigne présentement au Graduate Center de la City University of New York.

Sylvie KANDE est professeur de littérature française et francophone à New York University. Ses travaux portent principalement sur les nouvelles identités urbaines résultant des migrations et brassages Afrique-Europe. Son premier livre, *Terres, urbanisme et architecture "créoles" en Sierra Leone, 18ème-19ème siècles* (L'Harmattan, 1998) concerne les Créoles de Freetown. Elle a aussi publié des articles de critique littéraire et cinématographique, et écrit des nouvelles et de la poésie.

Michel LARONDE est professeur à l'Université d'Iowa. Il publie en 1993 *Autour du Roman Beur* (L'Harmattan, 1993), première étude en français sur l'écriture de la génération issue de l'immigration maghrébine en France. En 1996, il coordonne un recueil d'articles, *L'Ecriture décentrée* (L'Harmattan) qui élargit l'étude de l'écriture aux littératures des immigrations dans le monde francophone.

Claude LIAUZU est professeur d'histoire contemporaine à l'université Denis Diderot (Paris). Il s'est intéressé au mouvement ouvrier au Maghreb, aux migrations *(Les Migrations en Méditerranée occidentale*. Complexe, 1995), aux relations entre Islam et Occident (*L'Islam de l'Occident*. Arcantère, 1987), au problème du racisme (*Race et Civilisation*, Syros, 1990; *La Société française face au racisme*. Complexe, 1998).

Henri LOPES a enseigné en France et en Afrique. Il fut membre du gouvernement congolais et vient d'être nommé ambassadeur du Congo-Brazzaville à Paris. Il a également assumé la fonction de Directeur Général pour l'Afrique à l'UNESCO. Son œuvre littéraire (qui a reçu le Grand Prix de la Francophonie en 1993) comprend des poèmes, des nouvelles – dont le recueil *Tribaliques*, couronné par le jury du Grand Prix de la littérature d'Afrique noire (1972) – et six romans, au nombre desquels *Le Chercheur d'Afriques* (Seuil, 1990), *Sur l'autre rive* (Seuil, 1992), *Le Lys et le flamboyant* (Seuil, 1997).

Emmanuelle SAADA est sociologue. Directrice-adjointe à l'Institut d'Etudes Françaises à New York University, elle y enseigne la sociologie historique. Elle poursuit une thèse de doctorat sur la construction de la catégorie "métis" dans les colonies françaises entre 1880 et 1950. Elle a publié plusieurs articles, dont "Le poids des mots, la routine des photos. Photographies de femmes martiniquaises, 1880-1930" (*Genèses*, 22, décembre 1995).

Louis SALA-MOLINS est professeur de philosophie politique à l'université de Toulouse II. Ses recherches et ses dernières publications concernent les codifications de l'esclavage des Noirs et les idéologies qui les légitimaient: *Le Code Noir ou le calvaire de Canaan* (PUF, 1987/ 6ème édition 1998); *Les Misères des Lumières. Sous la raison, l'outrage* (Laffont, 1992); *L'Afrique aux Amériques. Le Code Noir espagnol* (PUF, 1992).

Ronnie SCHARFMAN est professeur de lettres à Purchase College, SUNY. Ses publications concernent des auteurs français et francophones, originaires principalement du Maghreb et des Antilles. Son livre sur Aimé Césaire, *Engagement and the Language of the Subject in the Poetry of Aimé Césaire* (U. of Florida Press, 1987) a reçu le prix Gilbert Chinard. Elle a co-dirigé le double numéro de *Yale French Studies* intitulé "Post/Colonial Conditions: Exiles, Migrations and Nomadisms", ainsi qu'une anthologie d'écrivaines françaises et francophones, *Ecritures de femmes* (Yale U. Press, 1996).

Werner SOLLORS est professeur de littérature anglaise et d'Afro-American Studies à Harvard University. Il a publié les ouvrages suivants: *Amiri Baraka/Leroi Jones: The Quest for a "Populist Modernism"* (Columbia U. Press, 1978), *Beyond Ethnicity: Consent and Descent in American Culture* (Harvard U. Press, 1993) et *Neither Black nor White Yet Both: Thematic Explorations of Interracial Literature* (Oxford U. Press, 1997). Il a dirigé la rédaction de *The Return of Thematic Criticism* (Harvard U. Press, 1993) et *Multilingual America: Transnationalism, Ethnicity, and the Languages of America* (NYU Press, 1998).

TABLE DES ILLUSTRATIONS

TABLE DES MATIERES

MISE EN PAGES FOURNIE

Achevé d'imprimer par Corlet, Imprimeur, S.A. - 14110 Condé-sur-Noireau (France)
N° d'Imprimeur : 37276 - Dépôt légal : février 1999 - *Imprimé en U.E.*